검토에 적극 참여해 주신 선생님들의 소중한 지적 사항을
최대한 교재에 반영하려고 노력하였습니다.
본 교재에 대한 많은 의견 중 일부를 검토 후기로 정리했습니다.
도움을 주신 선생님들께 감사드립니다.

학기 중 진도 교재로 사용하고 있습니다. 하위권 및 중위권 학생들의 보충 교재 및 계산력 강화 교재로 참 좋습니다.
―인수학학원 김상현 선생님

선행 진도 나간 다음에 학생들 스스로 내용 정리를 할 수 있고, 바로 오답노트 정리가 가능해서 정말 마음에 드는 교재입니다.
―구로루트 이인수 선생님

학기 중 부교재로 사용하는데 난이도도 적당하고 문항수도 알맞아 보입니다. 그리고 디자인이 심플해서 마음에 들고 시험에 나오는 유형들로 구성되어 있어서 좋습니다.
―KCIS롱맨영수학원 이설웅 선생님

학기 교재로 따로 진도를 나가고 본 교재는 시험 기간 2주 정도 중간고사 범위 정도 풀어보니 문항수도 난이도도 중위권 학생들이 쓰기에 적당했습니다. 무엇보다 문항 옆에 따로 노트할 수 있는 부분이 있어서 유용하게 사용하였습니다.
―탑학원 수학강사 선생님

선행 준비하는 교재나 시험 기간 중 정리 교재로 적당한 것 같습니다. 양이 약간 적기는 하지만 부담이 없어서 평균 정도의 학생에게 좋다고 생각합니다.
―제3교실 수학강사 선생님

교재의 문항 수는 좀 적어 보여서 조금 더 문항 수가 많았으면 좋겠습니다. 마무리 점검용으로 잘 나온 것 같습니다. 학생들과 마무리 교재로 잘 사용하고 있습니다.
―더클래스학원 탁언숙 선생님

선행 진도 교재나 학기 중 진도 교재로 사용하기 좋겠습니다. 기존 문제집 형태에서 벗어나 오답노트가 같이 붙어 있어서 정말 좋습니다. 수학 오답노트가 생각보다 정착되기 쉽지 않은데 책에서 같이 편성되어 있어 많이 편리합니다.
―수방사수학전문학원 오주영 선생님

선행 진도 교재로 사용하고 있는데요. 교재의 난이도도 적당합니다. 문제 수는 좀 많아 보이는데 교과서 정리용으로 적당한 교재로 보입니다.
―로뎀나무수학전문학원 민병훈 선생님

교재의 문제수가 조금 더 많았으면 좋겠습니다. 그리고 난이도가 조금 더 높았으면 좋을 것 같습니다.
―강남탑아카데미 강민우 선생님

학기 중 부교재로 사용하고 있습니다. 내신 시험에서 출제율 높은 문제들이 많이 수록되어 있고 디자인이 깔끔해서 좋습니다.
교재의 분량이 적당해서 좋습니다. 수학의 기본 공식을 단원별로 요약해서 암기할 수 있도록 유도한다면 더 좋겠습니다.
―연향학원 정상혁 선생님

난이도 구성도 적절하여 선행 진도 교재로 좋습니다. 다만 기초가 약한 학생들은 어려워서 난이도를 조금만 낮추면 어떨까 합니다.
―홍선생수학학원 홍영상 선생님

학기 중 부교재로 사용합니다. 문항수도 적당하고 분량도 알맞습니다. 디자인도 세련되고 깔끔해 보입니다. 수업 중 부교재로 사용하기에 이만한 교재도 없는 것 같습니다.
―삼성영어쎈수학작전학원 성영희 선생님

학기 중 부교재나 문제 풀이용으로 사용하기에 좋습니다. 문제 유형을 조금 더 자세하게 나눠주면 더 좋지 않을까 싶습니다.
―신사고수학학원 안길홍 선생님

중하위권 학생들에게 학기 중 진도 교재로 사용하고 싶은데 문제 수가 좀 적은 것 같아서 더 많았으면 좋겠습니다. 교과서에서 요구하는 기본 개념을 반복학습하기에 좋은 교재입니다.
―아람입시학원 박찬호 선생님

선행 진도 교재로 수업을 해 보았는데 난이도가 낮아서 학생들이 재미있게 풀이를 할 수 있었습니다. 선행 교재로 적절합니다. 초등 교재와 구성이 비슷해서 학생들의 거부감이 덜한 것 같습니다.
―김샘학원 김선옥 선생님

학기 중 부교재로 사용하고 있습니다. 디자인도 예쁩니다. 상하권의 분량은 비슷했으면 좋겠고 무엇보다 상하권 모두 좀 더 빨리 출간되었으면 합니다.
―장현진수학학원 양경실 선생님

개편이 이루어진다면 초등학교 6학년 여름방학 시작 전까지는 출간되는 게 좋을 듯합니다. 학생들이 노트 없이 바로 책에서 풀이를 할 수 있도록 해 주어서 정말 좋습니다.
―현대학원 김은희 선생님

선행 진도 교재로 사용하고 싶습니다. 초등부는 학생들에게 맞는 재미있는 표지 디자인이 필요하지만 중학교 책은 디자인보다는 내용이 좋아야 합니다. 너무 조잡하지 않을 정도의 현 디자인이 좋은 것 같습니다.
―뉴탑보습학원 유성희 선생님

문제가 쉬워서 선행할 때 부교재로 부담 없이 수업을 진행할 수 있어 좋습니다. 문항수가 조금 더 많으면 좋을 듯합니다.
―미퍼스트학원 오광재 선생님

선행 부교재로 사용할 수 있겠습니다. 특히 초등학교 6학년 학생에게 이 책을 사용한다면 좋은 결과가 있을 것으로 생각됩니다.
―최상위학원 방선주 선생님

이 책에 도움을 주신 선생님들

강갑신 (청람학원)
강민우 (강남탑아카데미)
강병헌 (강박사수학)
강상도 (알찬학원)
강성현 (위드클래스)
강효선 (두드림수학학원)
고경희 (경인학원)
권도형 (K2에듀학원)
권미진 (예일학원)
권주희 (동일학원)
권혜정 (패턴수학학원)
김규엽 (플랜더학원)
김나영 (U&I학원)
김남국 (연세월학원)
김도완 (하브르수학학원)
김동우 (김동우학원)
김동현 (아이네트학원)
김명옥 (1,2,3학원)
김명옥 (멘토0816학원)
김병주 (루트엠수학학원)
김상기 (디딤돌학원)
김상윤 (한빛학원)
김상현 (인수학원)
김상훈 (아이탑스쿨학원)
김선영 (일원학원)
김선옥 (김샘학원)
김성연 (김선생수학학원)
김순조 (페르마학원)
김승우 (YM학원)
김옥희 (좋은입시학원)
김용복 (MS학원)
김용원 (비탑학원)
김윤회 (일등급학원)
김익성 (서대문페르마학원)
김인규 (MBT생수학)
김일심 (BMI수학학원)
김일용 (서전학원)
김일용 (서전학원)
김장현 (김장현수학학원)
김정선 (대현학원)
김정암 (정암수학학원)
김정애 (메가브레인)
김정연 (외대어학원)
김정준 (매쓰맨토수학학원)
김정희 (일원학원)
김조현 (왕수학학원)
김종리 (최선생학원)
김지권 (진영학원)
김지현 (신정진단과학원)
김진희 (계몽학원)
김창호 (세엘학원)
김혜민 (웅비아카데미)
김혜진 (KSM학원)
김화정 (김샘학원)
남상묵 (해운대성문학원)

남지민 (더프라임학원)
노광주 (대치동수스터디)
도인규 (김샘학원)
마창영 (매쓰드학원)
문병욱 (수학의흐름학원)
문주아 (엘리트학원)
문지영 (문샘학원)
문희경 (한결학원)
민광석 (민수학학원)
민병훈 (로뎀나무수학전문학원)
민상기 (한뜻학원)
박강우 (김은옥영어박강우수학학원)
박경화 (투비스마트학원)
박미현 (훈장님수학학원)
박상빈 (우리학원)
박상준 (지오엠수학전문학원)
박선형 (파인만학원)
박수한 (서구대성학원)
박영선 (GH영재학원)
박원규 (한오름학원)
박원일 (마이엠수학학원)
박은주 (이탑학원)
박재춘 (제크아카데미)
박정선 (1%하이스트학원)
박정호 (베리타스)
박정훈 (신현대학원)
박종화 (파스칼수학학원)
박준자 (일신학원)
박찬호 (아람입시학원)
박창용 (송설학원)
방선주 (최상위학원)
방지운 (눈높이(용호))
변주현 (일등학원)
서경애 (큰나무학원)
서금실 (서선생수학학원)
서문소영 (지오수학학원)
서창호 (에이스학원)
서춘경 (스피드학원)
서지현 (더베스트수학학원)
설성환 (더옳은수학학원)
손기정 (JC학원)
손민근 (MSG학원)
손정욱 (강남리더스학원)
손한나 (서연학원)
송은화 (헤르메스학원)
승태욱 (SM뉴런)
신경철 (신강남학원)
신무교 (SM학원)
신용하 (공감학원)
신은경 (스터디멘토학원)
신정석 (정석학원)
신혜영 (경기학원)
심석보 (대림학원)
안길홍 (신사고수학학원)
안상숙 (오디세이학원)

안지영 (모두의 수학)
양경실 (장현진수학학원)
양은선 (태림학원)
여순태 (성문학원)
오가을 (이카루스수학학원)
오광재 (미퍼스트학원)
오미영 (이엠아카데미)
오주영 (수방사수학전문학원)
오중식 (방선생수학학원)
오태경 (올라학원)
오현대 (페르마학원)
우명식 (상상학원)
우명식 (수학의샘입시학원)
유경이 (한메쓰학원)
유미자 (서경학원)
유영수 (이지매쓰수학학원)
유정숙 (동부주산학원)
유종렬 (종로엠스쿨)
유혜종 (멘토링학원)
유홍식 (교육최상학원)
윤석영 (강남현대에이플러스)
윤재준 (교하비상아이비츠)
윤진숙 (진솔학원)
이강화 (강승학원)
이강훈 (이수학원)
이경희 (수현영수전문학원)
이관희 (양오상록학원)
이권 (명성영재사관)
이기호 (코넬아카데미)
이다혜 (다수인학원)
이도윤 (수학인학원)
이미경 (주관영수학원)
이미량 (제니스학원)
이민구 (최상학원)
이상호 (S-Top학원)
이상희 (참좋은학원)
이선미 (얼음수학학원)
이설웅 (KCIS롱맨영수학원)
이승우 (새교육학원)
이승한 (멘토학원)
이영석 (아이윌학원)
이영실 (관저아이스학원)
이왕근 (프라임학원)
이용석 (가람스마트)
이원진 (학문당)
이윤영 (윤앤영학원)
이은재 (이은재 맵수학학원)
이인수 (구푸르트)
이정미 (똑소리학원)
이정임 (뉴탑보습학원)
이종혁 (매크로학원)
이준민 (대성제넥스)
이준철 (신의한수학원)
이지연 (예스수학학원)
이창승 (꿈이공학원)

이해경 (으뜸학원)
이현정 (엘수학학원)
이형욱 (하이탑학원)
이형욱 (해열학원)
이형주 (대명EMS학원)
이희경 (강수학)
임명진 (서연고학원)
임선주 (온누리입시학원)
임수정 (해오름학원)
임지혜 (통달할달수학학원)
장경자 (엘리트학원)
장석필 (플래너학원)
장현주 (서진학원)
전영선 (비상스카이학원)
전은실 (프라이머리수학학원)
정구은 (정구은학원)
정상혁 (연향학원)
정선화 (JS아카데미)
정유진 (김예찬영수학원)
정재성 (참된학원)
정재현 (율사학원)
정태용 (공감영수학원)
정현진 (수박사학원)
정현호 (호매실이름학원)
조민정 (조민정아카데미)
조봉규 (드림학원)
조정환 (프라임학원)
조태재 (TJ학원)
조현미 (강남인재학원)
조현석 (대신학원)
조혜원 (에듀포인트학원)
차진경 (대현학원)
채웅기 (KCT학원)
채장기 (대치M수학학원)
최경욱 (경성학원)
최명임 (청어람학원)
최명훈 (엘교이수학원)
최수성 (하이츠수학학원)
최슬기 (트튼영어학원)
최인찬 (와이즈만)
탁연숙 (더클래스학원)
하희경 (명지학원)
한명희 (비상아이비츠학원)
한빛찬 (자금학원)
한희광 (성신학원)
허균정 (이화수학)
허세영 (감전고려학원)
현진영 (신명하원)
홍기택 (가우스학원)
홍영상 (홍선생수학학원)
황경숙 (수리수리수학학원)
황정실 (동성수학학원)
황지성 (잔솔수학학원)
황하기 (지엔탑학원)

Mathematics

교과서 노트

중학 수학 **2** (상)

구성과 특징

교과서 노트는 어떤 교과서에나 공통적으로 나오는 문제들로 구성하였습니다. 각 단원마다 알아야 할 기본 개념과 출제 가능성이 매우 높은 문제들을 엄선하였기 때문에 중간·기말고사를 대비하는 데 좋은 교재입니다.

우리가 수학문제를 풀 때 가장 많이 느끼는 어려움은 분명히 풀어봤던 유형인 것 같은데 풀이 과정 중에 하나 또는 두 개 정도의 풀이과정이 추가되게 되면 풀 수가 없다는 것일 것입니다. 노트 형식으로 구성한 이 "교과서 노트"는 기본 필수 예제를 풀이과정을 하나하나 쫓아가며 풀 수 있기 때문에 수학 문제 풀이에 대한 두려움이라든가, 오답노트를 따로 만들어가며 풀어야 하는 귀찮음을 해소할 수 있습니다.

1
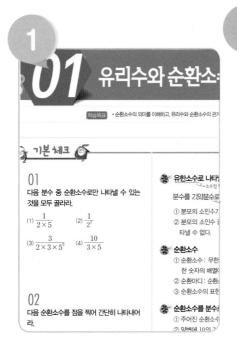

2
기본체크와 핵심정리

교과서 개념을 주제별로 구성하여 자세하고 깔끔한 개념만을 모아모아 문제 풀이에 적용하기 쉽게 정리하였습니다. 교과서 노트의 핵심정리는 정말 중요한 것만 콕콕 찍어서 단계적으로 정리하여 보기도 쉽고, 이해하기도 좋게 구성하였습니다.

3
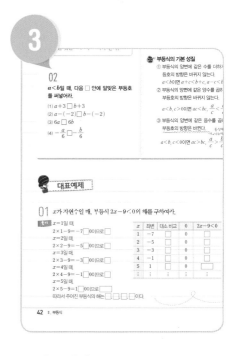

학습목표

소단원의 성격을 잘 드러내도록 구성하였습니다.
학습목표는 우리가 시험에서 만날 문제들의 성격을 대표적으로 설명하는 부분입니다. 학습목표를 잘 읽어보면 그 단원에서 가장 기본이 되고 제일 중요한 것이 무엇인지 알 수 있게 됩니다.

대표 예제

단순히 개념만 안다고 모든 문제를 해결할 수는 없습니다. 핵심은 바로 개념을 이용한 문제해결력을 키워야 합니다. 그래서 중학 교과서 속 핵심 예제를 개념을 익히기 위한 필수 문제로 구성하였습니다. 시험과 동떨어진 매우 기초가 되는 쉬운 문제가 아니고, 시험에 나올 법한 유형의 문제 중 기본이 되는 문제로 구성했으며 빈칸 채우기 식의 문제 풀이를 통해 풀이 과정을 한 눈에 볼 수도 있어서 "내가 어디서 실수를 했는지" 쉽게 찾을 수 있습니다. 또한, 문제 풀이에 꼭 필요한 개념들을 친절하게 첨삭 설명하였습니다.

4

어떤 교과서에나 나오는 문제

코너 이름 그대로, "어느 교과서에나 등장하는" 유형의 문제들로 구성하였습니다. 교과서 기본문제와 연습문제를 분석하여 만든 이 문제들로 기초 실력을 탄탄히 다지고 연습할 수 있으며, 시험에 꼭 나오는 유형이니만큼 시험 대비하기에 좋습니다. 노트 형식의 디자인은 문제 옆에 바로 풀이를 할 수 있어서 풀이 가운데 틀린 부분을 체크하기 쉽게 하며, 오답노트로 활용할 수도 있습니다.

5

시험에 꼭 나오는 문제

교과서의 중단원평가와 대단원평가를 분석하여 공통적으로 등장하는 유형의 문제를 변형하여 실어놓았습니다. 시험에 꼭 나오고, 반드시 알아두어야 할 문제들로 엄선했기 때문에 이 교재로 모의시험을 치면, 시험에 임하게 되었을 때 나의 취약한 부분을 미리 알 수 있게 됩니다. 이 코너 역시 노트 디자인으로, 문제풀이 복습 과정이 편리합니다.

6

단원종합문제

대단원이 하나씩 끝날 때마다 제공되는 단원종합문제는 실제 시험을 보는 것 같이 풀 수 있도록 구성하였습니다. 출제 가능성이 매우 높은 문제들로 구성하여서 중간고사나 기말고사 대비용으로 활용하기 좋으며, 어느 정도 난이도가 높은 문제들과 서술형 문제도 다루어 보면서 완벽하게 실전에 대비합니다.

7

책속의 책 : 정답 및 풀이

- 친절하고 깔끔한 풀이가 내가 틀린 문제에 대한 문제 풀이의 이해를 돕습니다.
- 맞은 문제도 풀이 책을 보면서 문제풀이 과정이 옳았는지 확인해 볼 수 있습니다.
- 다른 풀이를 통해 여러 가지 풀이 방법을 제시하였습니다.

차 례 **Contents**

I. 수와 식

01 유리수와 순환소수 ·························· 6
02 지수법칙 ·························· 14
03 단항식의 계산 ·························· 22
04 다항식의 계산 ·························· 30
+ 단원종합문제 ·························· 38

II. 부등식

05 부등식의 해와 성질 ·························· 42
06 일차부등식 ·························· 50
07 일차부등식의 활용 ·························· 58
+ 단원종합문제 ·························· 66

III. 방정식

08 연립일차방정식 ·························· 70
09 연립방정식의 풀이 ·························· 78
10 연립방정식의 활용 ·························· 86
+ 단원종합문제 ·························· 94

Ⅳ. 일차함수

11 함수의 뜻 ·· 98

12 일차함수와 그 그래프 ·· 106

13 일차함수의 그래프의 식과 활용 ························ 114

14 일차함수와 일차방정식의 관계 ·························· 124

+ 단원종합문제 ·· 132

정답 및 풀이

이 책의 활용법

1 학습목표를 여러 번 읽어 보며 개념이 어떻게 문제로 표현될지 생각해 본다.

2 핵심 정리를 보며 내가 올바르게 소단원의 개념을 이해하고 있는지 확인한다.

3 체크 문제를 풀어보고 각 소단원에 해당하는 기본 개념이 제대로 잡혀 있는지 확인한다.

4 대표 예제를 통해 기본 문제를 이해한다.

5 〈어떤 교과서에나 나오는 문제〉 코너와 〈시험에 꼭 나오는 문제〉 코너의 문제를 풀이한 뒤,
풀이 과정까지 옳게 되었는지 확인한다. ▶ 틀린 유형의 문제는 여러 번 풀어본다.

6 단원종합문제 풀이를 실제 시험처럼 시간을 정해 두고 푼다. ▶ 출제 가능성 높은 문제들로 구성하였기 때문에
틀린 문제는 반드시 다시 풀어서 실제 시험에서는 틀리지 않도록 오답노트를 만든다.

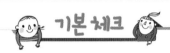

유리수와 순환소수

학습목표 · 순환소수의 의미를 이해하고, 유리수와 순환소수의 관계를 이해한다.

기본 체크

01

다음 분수 중 순환소수로만 나타낼 수 있는 것을 모두 골라라.

(1) $\dfrac{1}{2 \times 5}$ (2) $\dfrac{1}{2^3}$

(3) $\dfrac{3}{2 \times 3 \times 5^2}$ (4) $\dfrac{10}{3 \times 5}$

02

다음 순환소수를 점을 찍어 간단히 나타내어라.

(1) $0.666\cdots$

(2) $1.2555\cdots$

(3) $0.363636\cdots$

(4) $4.1252525\cdots$

핵심 정리

유한소수로 나타낼 수 있는 분수

소수점 아래 0이 아닌 숫자가 유한개인 소수

분수를 기약분수로 나타내고, 그 분모를 소인수분해했을 때

더 이상 약분되지 않은 분수

① 분모의 소인수가 2나 5 뿐인 분수는 유한소수로 나타낼 수 있다.

② 분모의 소인수 중에서 2나 5 이외의 수가 있는 분수는 유한소수로 나타낼 수 없다.

순환소수

① 순환소수 : 무한소수 중에서 소수점 아래의 어떤 자리에서부터 일정한 숫자의 배열이 한없이 되풀이되는 소수

② 순환마디 : 순환소수에서 숫자의 배열이 일정하게 되풀이되는 한 부분

③ 순환소수의 표현 : 순환마디의 양 끝의 숫자 위에 점을 찍어 나타낸다.

순환소수를 분수로 나타내는 방법

① 주어진 순환소수를 x로 놓는다.

② 양변에 10의 거듭제곱을 곱해서 소수 부분이 같은 두 식을 만든다.

③ ②의 두 식을 변끼리 빼서 순환하는 부분을 없애고 x의 값을 구한다.

> 참고 순환소수 $0.\dot{4}$를 x라 하면 $x = 0.444\cdots$ ─①
> 양변에 10을 곱하면 $10x = 4.444\cdots$ ─②
> 두 식을 변끼리 빼면 $9x = 4$ $\therefore x = \dfrac{4}{9}$ ─③
> 따라서 $0.\dot{4} = \dfrac{4}{9}$

대표예제

· 정답 및 풀이 2쪽

01 다음 분수 중에서 유한소수로 나타낼 수 있는 것을 찾아라.

(1) $\dfrac{4}{15}$ (2) $\dfrac{42}{100}$

풀이 주어진 분수를 약분하여 기약분수로 나타낸 다음 분모를 소인수분해한다.

(1) $\dfrac{4}{15} = \dfrac{4}{3 \times 5}$는 분모에 소인수 □이 있으므로 유한소수로 나타낼 수 □.

(2) $\dfrac{42}{100} = \dfrac{21}{50} = \dfrac{3 \times 7}{2 \times 5^2}$은 분모의 소인수가 □와 □뿐이므로 유한소수로 나타낼 수 □

 기약분수로 나타낸 후 분모의 소인수가 2나 5 뿐인 수를 찾는다.

02 다음 분수 중에서 순환소수로만 나타낼 수 있는 것을 모두 찾아라.

(1) $\dfrac{4}{11}$　　　　(2) $\dfrac{5}{12}$　　　　(3) $\dfrac{7}{50}$　　　　(4) $\dfrac{9}{120}$

 각 분수를 기약분수로 고친 후 분모를 소인수분해하면 다음과 같다.

(1) $\dfrac{4}{11}$

(2) $\dfrac{5}{12} = \dfrac{5}{2^2 \times 3}$

(3) $\dfrac{7}{50} = \dfrac{7}{2 \times 5^2}$

(4) $\dfrac{9}{120} = \dfrac{3}{40} = \dfrac{3}{2^3 \times 5}$

따라서 분모에 　　 또는 　　 이외의 소인수가 있는 분수 　　 , 　　 는 순환소수로만 나타낼

수 있다.

> 유리수를 소수로 고쳤을 때 유한소수로 나타낼 수 없는 유리수는 모두 순환소수로 나타낼 수 있다.

03 순환소수 $0.\dot{5}\dot{1}$을 분수로 나타내어라.

풀이 순환소수 $0.\dot{5}\dot{1}$을 x라고 하면

$x = 0.515151\cdots$ 　　　 … ①

①의 양변에 　　 을 곱하면

　　$x = 51.515151\cdots$ 　　 … ②

이때 ②에서 ①을 변끼리 빼면

　　$x = $ 　　

$\therefore x = $ 　　 $= $ 　　

$$\begin{array}{r} 100x = 51.515151\cdots \\ -\,)\quad x = \ \ 0.515151\cdots \\ \hline 99x = 51 \end{array}$$

> 어떤 순환소수에 적당한 10의 거듭제곱을 곱하면 그것의 소수 부분이 처음에 주어진 순환소수의 소수 부분과 같은 순환소수를 얻을 수 있다.

04 순환소수 $0.1\dot{2}\dot{8}$을 분수로 나타내어라.

풀이 순환소수 $0.1\dot{2}\dot{8}$을 x라고 하면

$x = 0.128282828\cdots$ 　　 … ①

①의 양변에 　　 을 곱하면

　　$x = 1.28282828\cdots$ 　　 … ②

또 ①의 양변에 　　 을 곱하면

　　$x = 128.28282828\cdots$ 　　 … ③

이때 ③에서 ②를 변끼리 빼면

　　$x = $ 　　

$\therefore x = $ 　　

$$\begin{array}{r} 1000x = 128.282828\cdots \\ -\,)\quad 10x = \ \ 1.282828\cdots \\ \hline 990x = 127 \end{array}$$

> 순환소수가 소수 첫째자리가 아닐 때에는 적당한 수를 곱해서 순환소수가 시작되는 부분이 소수 첫째자리에 오도록 고쳐야 한다.

🔖 유리수의 소수 표현

유한소수와 순환소수는 모두 유리수이다. 또 모든 유리수는 유한소수나 순환소수로 나타낼 수 있다.

어떤 교과서에나 나오는 문제

중요도 ☐ 손도 못댐 ☐ 과정 실수 ☐ 틀린 이유:

01 다음 중 분수 $\dfrac{3}{2\times5^2}$에 대한 설명으로 옳지 않은 것을 모두 고르면? (정답 2개)

① $\dfrac{6}{2^2\times5^2}$과 같다.

② 소수로 나타내면 0.6이다.

③ 분자에 3이 있으므로 무한소수이다.

④ 분자와 분모에 각각 2를 곱하면 분모를 10의 거듭제곱의 꼴로 나타낼 수 있다.

⑤ 분모의 소인수가 2나 5뿐이므로 유한소수이다.

중요도 ☐ 손도 못댐 ☐ 과정 실수 ☐ 틀린 이유:

02 분수 $\dfrac{21}{5\times x}$을 소수로 나타내면 유한소수가 된다고 할 때, 다음 중 x의 값으로 알맞지 <u>않은</u> 것은?

① 3   ② 4   ③ 7
④ 18   ⑤ 21

중요도 ☐ 손도 못댐 ☐ 과정 실수 ☐ 틀린 이유:

03 분수 $\dfrac{7}{60}\times A$를 소수로 나타내면 유한소수가 될 때, A의 값 중에서 가장 작은 자연수는?

① 1   ② 2   ③ 3
④ 4   ⑤ 5

중요도 ☐ 손도 못댐 ☐ 과정 실수 ☐ 틀린 이유:

04 다음 중 순환소수의 순환마디가 옳게 짝지어지지 <u>않</u>은 것은?

	순환소수	순환마디
①	0.666…	6
②	0.2525…	25
③	4.122…	12
④	2.371371…	371
⑤	1.35656…	56

05 순환소수 $0.3\dot{4}\dot{8}$에서 소수점 아래 50번째 자리의 숫자를 구하여라.

06 다음 중 순환소수 $x=2.3232\cdots$에 대한 설명으로 옳지 <u>않은</u> 것은?

① x는 유리수이다.
② 점을 찍어 나타내면 $2.\dot{3}$이다.
③ 순환마디는 32이다.
④ 분수로 나타내면 $\dfrac{232-2}{99}$이다.
⑤ 분수로 나타낼 때 가장 편리한 식은 $100x-x$이다.

07 $\dfrac{1}{3}<0.\dot{x}<\dfrac{7}{9}$을 만족하는 한 자리의 자연수 x의 개수는?

① 2　　　　② 3　　　　③ 4
④ 5　　　　⑤ 6

08 순환소수 $0.\dot{4}\dot{5}$에 a를 곱하면 자연수가 될 때, 다음 중 a의 값이 될 수 <u>없는</u> 것은?

① 11　　　　② 33　　　　③ 45
④ 66　　　　⑤ 99

시험에 꼭 나오는 문제

01 다음 중 옳지 <u>않은</u> 것은?

① 소수점 아래 0이 아닌 숫자가 유한개인 소수는 유한소수이다.
② 모든 순환소수는 점을 찍어 간단히 나타낼 수 있다.
③ 유한소수를 기약분수로 나타내면 분모의 소인수는 2뿐이다.
④ 정수 또는 유한소수로 나타낼 수 없는 유리수는 모두 순환소수로 나타낼 수 있다.
⑤ 정수가 아닌 유리수는 모두 유한소수 또는 순환소수로 나타낼 수 있다.

02 다음 분수 중 유한소수로 나타낼 수 <u>없는</u> 것을 모두 고르면? (정답 2개)

① $\dfrac{3}{5}$
② $\dfrac{7}{2^2 \times 5}$
③ $\dfrac{8}{2 \times 3 \times 5}$
④ $\dfrac{21}{2 \times 5^2 \times 7}$
⑤ $\dfrac{4}{2^4 \times 11}$

03 다음 보기에서 무한소수는 모두 몇 개인가?

> **보기**
>
> $0.1222\cdots$ $\dfrac{2}{5}$ $\dfrac{10}{27}$ π
>
> 1.123456789 $\dfrac{9}{30}$ 3.14

① 1개
② 2개
③ 3개
④ 4개
⑤ 5개

04 분수 $\dfrac{4}{25}$를 $\dfrac{x}{10^n}$로 고쳐서 유한소수로 나타낼 때, 가장 작은 자연수 n과 x의 합은?

① 6
② 10
③ 14
④ 18
⑤ 20

중요도 ☐ 손도 못댐 ☐ 과정 실수 ☐ 틀린 이유:

05 분수 $\dfrac{11}{140} \times A$를 소수로 나타내면 유한소수가 될 때,

A의 값 중에서 가장 작은 자연수는?

① 2　　　　② 3　　　　③ 5

④ 7　　　　⑤ 11

중요도 ☐ 손도 못댐 ☐ 과정 실수 ☐ 틀린 이유:

06 분수 $\dfrac{a}{90}$를 소수로 나타내면 유한소수가 된다. 이때 a

의 값이 될 수 있는 가장 작은 두 자리 자연수는?

① 12　　　　② 15　　　　③ 18

④ 21　　　　⑤ 24

중요도 ☐ 손도 못댐 ☐ 과정 실수 ☐ 틀린 이유:

07 두 분수 $\dfrac{3}{28}$과 $\dfrac{13}{120}$에 어떤 자연수 x를 각각 곱하여

소수로 나타내면 모두 유한소수가 될 때, x의 값이 될
수 있는 가장 작은 자연수는?

① 3　　　　② 7　　　　③ 14

④ 21　　　　⑤ 42

중요도 ☐ 손도 못댐 ☐ 과정 실수 ☐ 틀린 이유:

08 다음 두 조건을 모두 만족하는 자연수 x를 구하여라.

> (가) 분수 $\dfrac{x}{180}$를 소수로 나타내면 유한소수이다.
>
> (나) x는 7의 배수이고, 150보다 작은 세 자리
> 　　 수이다.

09 순환소수 $4.8353535\cdots$의 순환마디를 a, 순환소수 $7.151515\cdots$의 순환마디를 b라고 할 때, $a+b$의 값은?

① 20   ② 30   ③ 40
④ 50   ⑤ 60

중요도 ☐   손도 못댐 ☐   과정 실수 ☐   틀린 이유:

10 순환소수 $0.\dot{1}23\dot{8}$에서 소수점 아래 50번째 자리의 숫자는?

① 0   ② 1   ③ 2
④ 3   ⑤ 8

중요도 ☐   손도 못댐 ☐   과정 실수 ☐   틀린 이유:

11 순환소수 $x=0.2\dot{8}\dot{3}$을 분수로 나타내려고 할 때, 가장 편리한 계산 식은?

① $10x-x$ ② $100x-10x$
③ $1000x-x$ ④ $1000x-10x$
⑤ $1000x-100x$

중요도 ☐   손도 못댐 ☐   과정 실수 ☐   틀린 이유:

12 다음 중 순환소수를 분수로 나타낸 것으로 옳지 않은 것은?

① $0.\dot{2}=\dfrac{2}{9}$ ② $0.\dot{3}\dot{5}=\dfrac{35}{99}$ ③ $3.\dot{5}=\dfrac{32}{9}$

④ $0.5\dot{8}=\dfrac{53}{90}$ ⑤ $0.6\dot{5}\dot{7}=\dfrac{73}{110}$

중요도 ☐   손도 못댐 ☐   과정 실수 ☐   틀린 이유:

13 $0.4+0.03+0.003+0.0003+\cdots$을 계산하여 기약

분수로 나타내면 $\dfrac{b}{a}$이다. 이때 $a-b$의 값은?

중요도 ☐ 손도 못댐 ☐ 과정 실수 ☐ 틀린 이유:

① 15 　　　　② 17 　　　　③ 19
④ 21 　　　　⑤ 23

14 순환소수 $1.\dot{1}$에 자연수 a를 곱하면 자연수가 될 때,
다음 중 a의 값이 될 수 <u>없는</u> 것은?

중요도 ☐ 손도 못댐 ☐ 과정 실수 ☐ 틀린 이유:

① 9 　　　　② 10 　　　　③ 18
④ 45 　　　　⑤ 90

15 순환소수 $1.3\dot{6}$에 어떤 자연수를 곱하여 유한소수를
만들려고 한다. 이때 곱해야 할 가장 작은 자연수는?

중요도 ☐ 손도 못댐 ☐ 과정 실수 ☐ 틀린 이유:

① 2 　　　　② 3 　　　　③ 5
④ 7 　　　　⑤ 11

16 어떤 수 x에 $0.1\dot{6}$을 곱해야 할 것을 잘못하여 0.16을
곱했더니 올바른 답과의 차가 0.28이 되었다. 어떤 수
x의 값을 구하여라.

중요도 ☐ 손도 못댐 ☐ 과정 실수 ☐ 틀린 이유:

02 지수법칙

학습목표 · 지수법칙을 이해한다.

 기본 체크

01

다음 식을 간단히 하여라.

(1) $a^3 a^5$

(2) $(a^2)^3$

(3) $\left(\dfrac{a}{b}\right)^2$

02

다음 식을 간단히 하여라.

(1) $a^4 \div a^3$

(2) $a^2 \div a^2$

(3) $a^2 \div a^4$

 핵심 정리

지수법칙

(1) m, n이 자연수일 때,

$$a^m \times a^n = a^{m+n}, \ (a^m)^n = a^{mn}$$

참고 a는 a^1으로 생각한다. 즉, $a \times a^2 = a^{1+2} = a^3$이다.

(2) m이 자연수일 때,

$$(ab)^m = a^m b^m, \ \left(\dfrac{a}{b}\right)^m = \dfrac{a^m}{b^m} \ (b \neq 0)$$

주의 $2(x)^2 = 2x^2$ 또는 $(2x)^3 = 6x^3$으로 계산하지 않도록 주의 한다.
즉, $(2x)^3 = 2^3 x^3$이다.

(3) $a \neq 0$이고 m, n이 자연수일 때,

① $m > n$이면 $a^m \div a^n = a^{m-n}$

② $m = n$이면 $a^m \div a^n = 1$ (즉, $a^0 = 1$이다.)

③ $m < n$이면 $a^m \div a^n = \dfrac{1}{a^{n-m}}$

나눗셈의 경우에 나누는 수는 0이 아닌 것으로 생각한다.

 대표예제

· 정답 및 풀이 4쪽

01 다음 식을 간단히 하여라.

(1) $a^3 \times a^7$ (2) $x \times x^2 \times x^3$

(3) $a^2 \times a^3 \times a^4$ (4) $x \times y^3 \times x^4 \times y^5$

 풀이

(1) $a^3 \times a^7 = a^{\boxed{}} = a^{\boxed{}}$

(2) $x \times x^2 \times x^3 = x^{\boxed{}} \times x^3 = x^{\boxed{}} \times x^3 = x^{\boxed{}} = x^{\boxed{}}$

(3) $a^2 \times a^3 \times a^4 = a^{\boxed{}} \times a^4 = a^{\boxed{}} \times a^4 = a^{\boxed{}} = a^{\boxed{}}$

(4) $x \times y^3 \times x^4 \times y^5 = x \times x^4 \times y^3 \times y^5 = x^{\boxed{}} \times y^{\boxed{}} = x^{\boxed{}} \times y^{\boxed{}} = \boxed{}$

$a^m + a^n \neq a^{m+n}$
$a^m \times a^n \neq a^{m \times n}$

02 다음 식을 간단히 하여라.

(1) $\left(a^3\right)^5$ (2) $\left(x^2\right)^3 \times x^5$

풀이 (1) $\left(a^3\right)^5 = a^{\boxed{}} = a^{\boxed{}}$

(2) $\left(x^2\right)^3 \times x^5 = x^{\boxed{}} \times x^5 = x^{\boxed{}} \times x^5$

             $= x^{\boxed{}} = x^{\boxed{}}$

$(a^m)^n \neq a^{m^n}$

---

03 다음 식을 간단히 하여라.

풀이 (1) $\left(ab^2\right)^3$ (2) $\left(\dfrac{x}{y^2}\right)^3$

(1) $\left(ab^2\right)^3 = a^{\boxed{}}\left(b^2\right)^{\boxed{}} = a^{\boxed{}}b^{\boxed{}}$

(2) $\left(\dfrac{x}{y^2}\right)^3 = \dfrac{x^{\boxed{}}}{\left(y^2\right)^{\boxed{}}} = \dfrac{x^{\boxed{}}}{y^{\boxed{}}} = \dfrac{x^{\boxed{}}}{y^{\boxed{}}}$

$(ab^m)^n = a^n b^{mn}$

---

04 다음 식을 간단히 하여라.

(1) $a^6 \div a^4$ (2) $x^4 \div x^7$

풀이 (1) $a^6 \div a^4 = a^{\boxed{}} = a^{\boxed{}}$

(2) $x^4 \div x^7 = \dfrac{1}{x^{\boxed{}}} = \dfrac{1}{x^{\boxed{}}}$

$a^m \div a^n = \dfrac{a^m}{a^n}$
$= a^{m-n}$

---

05 다음 식을 간단히 하여라.

(1) $a^7 \div a^4 \div a^2$ (2) $\left(x^2\right)^3 \div \left(x^2\right)^5$

풀이 (1) $a^7 \div a^4 \div a^2 = a^{\boxed{}} \div a^2 = a^{\boxed{}} \div a^2$

            $= a^{\boxed{}} = \boxed{}$

(2) $\left(x^2\right)^3 \div \left(x^2\right)^5 = x^{\boxed{}} \div x^{\boxed{}} = x^{\boxed{}} \div x^{\boxed{}}$

             $= \dfrac{1}{x^{\boxed{}}} = \dfrac{1}{x^{\boxed{}}}$

$\dfrac{1}{a^m} = a^{-m}$

지수의 표현

지수를 아라비아 숫자로 쓴 최초의 사람은 프랑스의 수학자 데카르트이다. 그는 미지수를 x, y, z 등으로 나타내었고, 평면도형과 정육면체를 포함한 기하학적 도형을 x^2, y^2, z^2 과 x^3, y^3, z^3 등과 같이 표현하는 관계를 도입하여 대수 개념을 전보다 훨씬 분명하게 했다.

01 다음 중 옳은 것은?

① $a^2 \times a^6 = a^{12}$ ② $(a^3)^4 = a^{12}$
③ $a^4 \div a^4 = 0$ ④ $a^8 \div a^4 = a^2$
⑤ $\left(\dfrac{a^2}{b}\right)^3 = \dfrac{a^6}{b}$

02 다음 ☐ 안에 들어갈 알맞은 수는?

$$x^{\square} \times x^3 = x^{10}$$

① 3 ② 4 ③ 7
④ 18 ⑤ 21

03 그림과 같이 한 변의 길이가 a^6 인 정사각형의 넓이를 구하여라.

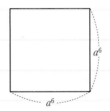

04 $(a^3 b^x)^4 = a^y b^8$일 때, $x + y$의 값은?

① 9 ② 12 ③ 14
④ 16 ⑤ 18

05 다음 중 옳지 <u>않은</u> 것은?

① $x^3 \times x^2 = x^5$

② $(2x)^3 = 8x^3$

③ $x^5 \div x^2 = x^3$

④ $x^2 \times y^3 \times x^4 \times y^4 = x^6 y^7$

⑤ $\left(\dfrac{3x}{y^2}\right)^4 = \dfrac{12x}{y^6}$

06 $16^3 = (2^a)^3 = 2^b$일 때, $a+b$의 값은?

① 12　　　　② 16　　　　③ 20

④ 28　　　　⑤ 32

07 $\left(\dfrac{2x^a}{y^2}\right)^3 = \dfrac{8x^{12}}{y^b}$일 때, a, b의 값은?

① $a=4,\ b=2$　　　　② $a=4,\ b=5$

③ $a=4,\ b=6$　　　　④ $a=9,\ b=5$

⑤ $a=9,\ b=6$

08 다음 등식이 성립할 때, 상수 a의 값은?

$$(x^4)^a \times x^2 = x^{10}$$

① 1　　　　② 2　　　　③ 3

④ 4　　　　⑤ 5

시험에 꼭 나오는 문제

01 다음 중 옳지 <u>않은</u> 것은?

① $a^4 \times a^5 = a^9$ ② $(a^3)^4 = a^{12}$

③ $a^{12} \div a^5 = a^7$ ④ $a^3 \div a^9 = \dfrac{1}{a^3}$

⑤ $(ab^3)^2 = a^2 b^6$

02 다음 중 계산 결과가 나머지 넷과 <u>다른</u> 하나는?

① $a^2 \times a^3 \times a^4$ ② $a^{11} \div a^2$

③ $(a^3)^3$ ④ $(a^4)^2 \times a^3 \div a^2$

⑤ $a^2 \div (a^3)^2 \times a^5$

03 다음 중 ☐ 안에 들어갈 수가 가장 작은 것은?

① $a^3 \times a^{\square} = a^9$ ② $(a^4)^{\square} = a^{12}$

③ $a^2 \div a^{10} = \dfrac{1}{a^{\square}}$ ④ $(ab^{\square})^3 = a^3 b^{15}$

⑤ $(a^3)^2 \div a^{\square} = a^4$

04 $2^4 \times 2^x = 64$를 만족하는 x의 값은?

① 1 ② 2 ③ 3

④ 4 ⑤ 5

05 한 모서리의 길이가 a^4인 정육면체의 부피를 구하여라.

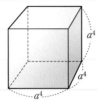

06 다음 중 $a^{12} \div a^3 \div a^2$과 계산 결과가 같은 것은?

(정답 2개)

① $a^{12} \div (a^3 \div a^2)$ ② $a^{12} \div (a^3 \times a^2)$

③ $(a^{12} \div a^3) \div a^2$ ④ $\dfrac{a^3}{a^{12}} \div a^2$

⑤ $\dfrac{a^3 \times a^2}{a^{12}}$

07 밑면의 가로의 길이가 x^4, 세로의 길이가 x^3인 직육면체의 부피가 x^{15}일 때, 이 직육면체의 높이는?

① x^5 ② x^6 ③ x^7
④ x^8 ⑤ x^9

08 $81^{10} \div 3^{10} \div 9^{10}$을 간단히 하면?

① 1 ② 3^5 ③ 3^{10}
④ 9^{10} ⑤ 27^{10}

09 다음 식을 만족하는 자연수 a, b에 대하여 $a-b$의 값은?

(가) $(2^3)^a \times 2^3 = 2^{18}$

(나) $4^5 \div (2^b)^3 = \dfrac{1}{4}$

① -3 ② 0 ③ 1
④ 2 ⑤ 3

10 $3^x \times 27 = 81^4$을 만족하는 x의 값은?

① 5   ② 6   ③ 8
④ 10   ⑤ 13

11 $2^5 = A$라고 할 때, 8^5을 A를 사용하여 나타내면?

① $3A$ ② $4A$ ③ A^3
④ A ⑤ A^5

12 $\left(-\dfrac{3x^b}{y}\right)^3 = \dfrac{ax^6}{y^c}$일 때, $\dfrac{a}{c} + b$의 값은?

① -7 ② -5 ③ -3
④ -1 ⑤ 1

13 다음 두 식을 만족하는 자연수 a, b, c에 대하여 $a+b-c$의 값은?

> (가) $(x^3)^a \div x^{11} = \dfrac{1}{x^2}$
>
> (나) $(3x^b)^c = 27x^{12}$

① 3   ② 4   ③ 5
④ 6   ⑤ 7

14 다음 식을 만족하는 상수 a, b에 대해 $a+b$의 값은?

$$(-3x^3)^2 \times (x^a)^2 \div x^5 = bx^9$$

① -5 ② -4 ③ 10
④ 12 ⑤ 13

15 $2^4=A$, $3^3=B$라 할 때, 12^6을 A, B를 사용하여 나타내면?

① AB ② A^2B ③ A^2B^2
④ A^3B ⑤ A^3B^2

16 $72^5=2^a \times 3^b$일 때, $a+b$의 값은?

① 10 ② 15 ③ 20
④ 25 ⑤ 30

17 어떤 박테리아는 시간당 3^2마리씩 증식한다고 한다. 이 박테리아 한 마리가 5시간이 지난 후에는 몇 마리로 증식되겠는가?

① 5×3^2마리   ② 3^7마리   ③ 3^{10}마리
④ 3^{16}마리   ⑤ 3^{32}마리

18 $2^{10} \times 5^7$은 몇 자리 자연수인가?

① 7자리   ② 8자리   ③ 9자리
④ 10자리   ⑤ 11자리

03 단항식의 계산

01
다음을 계산하여라.

(1) $2x \times 3y$

(2) $(-2x)^2 \times y$

02
다음을 계산하여라.

(1) $4a^2b \div 2ab$

(2) $(-x^2y) \div xy$

🎯 단항식의 곱셈

① 계수는 계수끼리, 문자는 문자끼리 곱하여 계산한다.

② 같은 문자끼리의 곱셈은 지수법칙을 이용하여 간단히 한다.

예 $(-2x^2y) \times 3xy^3 = \underbrace{(-2) \times 3}_{\text{계수끼리 곱}} \times \underbrace{x^2 \times x \times y \times y^3}_{\text{문자끼리 곱}} = -6x^3y^4$

🎯 단항식의 나눗셈

→ 나눗셈을 곱셈으로 바꾸거나 분수 꼴로 바꾼 다음 계수는 계수끼리, 문자는 문자끼리 계산한다.

[방법1] 나누는 식의 역수를 곱하여 계산한다.

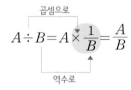

$$A \div B = A \times \frac{1}{B} = \frac{A}{B}$$

[방법2] 분수 꼴로 바꾼 후 계산한다.

$$A \div B = \frac{A}{B}$$

• 정답 및 풀이 6쪽

01 다음을 계산하여라.

(1) $2x \times 5y$　　　　　　　(2) $(-3x)^2 \times 2y$

풀이 (1) $2x \times 5y = 2 \times \boxed{} \times x \times \boxed{} = \boxed{}$

(2) $(-3x)^2 \times 2y = (-3)^2 \times \boxed{} \times 2 \times \boxed{} = 9 \times 2 \times \boxed{} \times y$

$= \boxed{}$

계수끼리 곱하기

$4a \times 3b = 12ab$

문자끼리 곱하기

02 다음을 계산하여라.

(1) $9a^3b^2 \div 3ab^2$ 　　　　　　(2) $(-x^2y)^2 \div 4x$

풀이 (1) $9a^3b^2 \div 3ab^2 = \dfrac{9a^3b^2}{\boxed{}} = \boxed{}$

(2) $(-x^2y)^2 \div 4x = \dfrac{(-x^2y)^2}{\boxed{}} = \dfrac{\boxed{}}{4x} = \boxed{}$

계수끼리 나누기

$15a^5 \div 3a^2 = 5a^3$

문자끼리 나누기

03 다음을 계산하여라.

(1) $12ab^2 \div 4a^2b^2 \times 3ab^2$ 　　　(2) $6x^2y^2 \div 2x^2y \div x^2$

(3) $6ab^2 \times (-a^3) \div 2b^2$ 　　　(4) $(3x^4y^3)^2 \div x^3y^2 \times (2x^2y)^3$

풀이 (1) $12ab^2 \div 4a^2b^2 \times 3ab^2 = 12ab^2 \times \boxed{} \times 3ab^2$

$\qquad = \boxed{} = \boxed{}$

(2) $6x^2y^2 \div 2x^2y \div x^2 = 6x^2y^2 \times \boxed{} \times \boxed{}$

$\qquad = \dfrac{6x^2y^2}{\boxed{}} = \boxed{}$

(3) $6ab^2 \times (-a^3) \div 2b^2 = 6ab^2 \times (-a^3) \times \boxed{}$

$\quad = 6 \times (-1) \times \dfrac{1}{2} \times a \times a^3 \times b^2 \times \dfrac{1}{b^2}$

$\quad = (-3) \times \boxed{}$

$\quad = \boxed{}$

(4) $(3x^4y^3)^2 \div x^3y^2 \times (2x^2y)^3 = 9x^8y^6 \times \boxed{} \times 8x^6y^3$

$\qquad = 9 \times 8 \times x^8 \times \boxed{} \times x^6 \times y^6 \times \boxed{} \times y^3$

$\qquad = 72 \times \boxed{} \times \boxed{}$

$\qquad = \boxed{}$

※ 단항식의 곱셈과 나눗셈의 혼합 계산
① 괄호가 있으면 지수법칙을 이용하여 먼저 괄호를 푼다.
② 나눗셈은 역수의 곱셈 또는 분수 꼴로 바꾼다.
③ 계수는 계수끼리, 문자는 문자끼리 계산한다.

 단항식의 나눗셈

중학교 1학년 과정에서 문자 식에 ÷로 되어 있는 것은 분수 꼴로 나타내어 편리하게 계산할 수 있음을 배웠다. 이를 적용하여 단항식의 나눗셈은 역수를 이용하는 방법과 분수 꼴을 이용하는 방법으로 한 나눗셈의 결과는 서로 같음을 이해하도록 한다.

01 다음 중 옳지 <u>않은</u> 것은?

① $(-4a) \times 2b = -8ab$

② $6ab \times 3a = 18a^2b$

③ $(-2a)^3 \times 3a^2 = -18a^6$

④ $5a^2b^3 \times 4ab = 20a^3b^4$

⑤ $(-3a)^2 \times (-6b) = -54a^2b$

02 다음 ☐ 안에 알맞은 수의 합을 구하여라.

$$(3ab^2)^\square \times (-a^\square b) = -27a^5b^\square$$

03 $(3xy^3)^2 \times (x^2y)^a = 9x^8y^9$ 일 때, 상수 a의 값은?

① 1 　　② 2 　　③ 3

④ 4 　　⑤ 5

04 다음 중 옳지 <u>않은</u> 것은?

① $12x^3 \div 4x^2 = 3x$

② $(-2x^3) \div (-8x^6) = \dfrac{4}{x^2}$

③ $27x^3y^2 \div 9xy^2 = 3x^2$

④ $(-28x^4y^3) \div (-4xy^2) = 7x^3y$

⑤ $10xy^3 \div (-5x^2y) = -\dfrac{2y^2}{x}$

05 $36x^5y^3 \div \Box = -4y$일 때, $\Box$ 안에 들어갈 알맞은 식을 구하여라.

중요도 $\Box$ 손도 못댐 $\Box$ 과정 실수 $\Box$ 틀린 이유:

06 어떤 식 A를 $-5xy^3$으로 나누었더니 $20x^4y$가 되었다. 어떤 식 A를 구하면?

① $-100x^5y^4$ ② $-100x^4y^3$

③ $-\dfrac{100x^3}{y^3}$ ④ $-4x^3y^2$

⑤ $-\dfrac{4x^3}{y^3}$

중요도 $\Box$ 손도 못댐 $\Box$ 과정 실수 $\Box$ 틀린 이유:

07 $32a^4b^2 \div (-8a^2b) \times \Box = 2ab^3$일 때, $\Box$ 안에 들어갈 알맞은 식은?

① $-2ab^2$ ② $-\dfrac{2a}{b^2}$ ③ $-\dfrac{ab^2}{2}$

④ $-\dfrac{b^2}{2a}$ ⑤ $-\dfrac{1}{2ab^2}$

중요도 $\Box$ 손도 못댐 $\Box$ 과정 실수 $\Box$ 틀린 이유:

08 밑면의 한 변의 길이가 $4a$인 정사각형 모양의 사각기둥이 있다. 이 사각기둥의 부피가 $80a^3b^2$일 때, 이 사각기둥의 높이를 구하여라.

중요도 $\Box$ 손도 못댐 $\Box$ 과정 실수 $\Box$ 틀린 이유:

01 다음 중 옳지 <u>않은</u> 것은?

① $(-3ab) \times (-5b^3) = 15ab^4$

② $(-3ab)^2 \times 2a = 18a^3b^2$

③ $(2ab)^3 \times (3a^2b)^2 = 72a^7b^5$

④ $(-a^2b)^2 \times \dfrac{4a}{b} = 4a^5b$

⑤ $(-5a^2b)^2 \times (-6ab^2) = -60a^5b^3$

02 다음 중 옳지 <u>않은</u> 것은?

① $12x^5 \div \dfrac{6}{5}x^2 = 10x^3$

② $(-2x^3)^2 \div (-8x^5) = -\dfrac{x}{2}$

③ $24x^3y^2 \div (-2xy^2)^3 = -\dfrac{3}{y^4}$

④ $(-12x^3y^6) \div (-18xy^2) = \dfrac{2}{3}x^2y^4$

⑤ $3xy^4 \div \left(-\dfrac{1}{3}xy\right)^2 = \dfrac{y^2}{3}$

03 $(6ab^3)^2 \div \left(\dfrac{3a}{b^2}\right)^2 \times \left(\dfrac{2a^2}{b}\right)^3$ 을 간단히 하면?

① $\dfrac{a^5b^{13}}{3}$ 　　② $\dfrac{a^{10}}{2b}$ 　　③ $a^6 b^7$

④ $2a^8b^3$ 　　⑤ $32a^6 b^7$

04 $(-3x^3y^2)^2 \div (xy^3)^a = \dfrac{9x^2}{y^8}$ 일 때, 상수 a의 값은?

① 1 　　② 2 　　③ 3

④ 4 　　⑤ 5

05 다음 □ 안에 알맞은 식을 구하여라.

$$\square \div (-2a^2b^3)^3 = \frac{a^4}{4b^2}$$

06

$(-3x^2y^3)^3 \times (2xy^2)^2 \div 18x^5y^8 = ax^by^c$ 일 때, $a+b+c$의 값은? (단, a, b, c는 상수)

① 1   ② 2   ③ 3
④ 4   ⑤ 5

07

어떤 식에 $\dfrac{4a}{b}$를 곱해야 할 것을 잘못하여 나누었더니 $3a^2b^3$이 되었다. 이때 옳게 계산한 식을 구하여라.

08

$54x^5y^3 \div (-3xy^2)^2 \div (-2x^2y)$를 간단히 하면?

① $-\dfrac{3x}{y^2}$ ② $-3xy^2$ ③ $-\dfrac{9x}{2}$

④ $\dfrac{y}{3x}$ ⑤ $\dfrac{3y^2}{x}$

09 $12a^2b^4 \times \square \div (-2a^4b) = 3ab^5$일 때, $\square$ 안에 들어갈 알맞은 식은?

① $-\dfrac{ab^2}{4}$ ② $-\dfrac{a^3b^2}{2}$ ③ $-2a^3b^2$

④ $-6a^3b^2$ ⑤ $-8a^2b^3$

10 $(-16a^4) \div \left(-\dfrac{1}{2}a^2\right)^3 \times \square = 32a^5$일 때, $\square$ 안에 들어갈 알맞은 식은?

① $\dfrac{a^3}{6}$ ② $\dfrac{a^3}{4}$ ③ $\dfrac{a^7}{6}$

④ $\dfrac{a^7}{4}$ ⑤ $\dfrac{a^7}{3}$

11 어떤 정육면체의 겉넓이가 $96x^6y^8$일 때, 이 정육면체의 한 모서리의 길이는?

① $4x^2y^2$ ② $4x^2y^3$ ③ $4x^3y^4$

④ $6x^3y^2$ ⑤ $6x^3y^4$

12 밑면의 반지름의 길이가 $6a$인 원뿔의 부피가 $48\pi a^3b^2$일 때, 이 원뿔의 높이는?

① $\dfrac{4}{3}ab^2$ ② $4ab^2$ ③ $4a^2b^2$

④ $12ab^2$ ⑤ 12^2b^2

13 다음과 같은 표에서 가로, 세로, 대각선에 적힌 단항식의 곱이 모두 같을 때, A에 들어갈 알맞은 식을 구하여라.

$6a^2b$	$-2a^2b^2$	
	$3ab^2$	A
		$-2a^2b$

14 다음 그림과 같은 정사각형 A와 직사각형 B의 넓이가 같을 때, 직사각형의 세로의 길이를 구하여라.

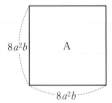
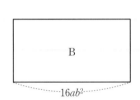

15 앞의 두 식을 곱하여 그 다음 식을 만드는 규칙으로 다음과 같이 단항식을 나열할 때, 7번째 칸에 들어갈 식을 구하여라.

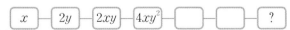

x — $2y$ — $2xy$ — $4xy^2$ — ☐ — ☐ — ?

16 그림과 같은 삼각기둥의 부피가 $60a^3b^5$일 때, 이 삼각기둥의 높이를 구하여라.

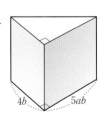

04 다항식의 계산

학습목표 • 이차식의 덧셈과 뺄셈, 다항식의 곱셈과 나눗셈의 원리를 이해하고 그 계산을 할 수 있다.

 기본 체크

01

다음 식을 간단히 하여라.

(1) $(x^2+2x+1)+(2x^2+2x+4)$

(2) $(3y^2+y-4)-(2y^2-y+3)$

02

다음 식을 전개하여라.

(1) $a(a-b)+a(a+b)$

(2) $x(2x+y)-x(x+2y)$

(3) $(2x^2+4xy)\div 2x$

(4) $(a+2)(b+3)$

 핵심 정리

⚙️ **이차식의 덧셈과 뺄셈**

↳ 다항식 중에서 차수가 가장 큰 항의 차수가 2인 다항식

괄호를 풀고 동류항끼리 모아서 계산한다. 이때 뺄셈은 빼는 식의 각 항의 부호를 바꾸어 더한다.

⚙️ **다항식의 곱셈과 나눗셈**

① 단항식과 다항식의 곱셈: 분배법칙을 이용하여 단항식을 다항식의 각 항에 곱하여 계산한다. 이때 단항식과 다항식의 곱을 하나의 다항식으로 나타내는 것을 전개한다고 하며, 전개하여 얻은 다항식을 전개식이라고 한다.

② 다항식을 단항식으로 나누기: 다항식의 각 항을 단항식으로 나누어 계산하거나 나눗셈을 곱셈으로 바꾸어 계산한다.

③ 다항식과 다항식의 곱셈: 분배법칙을 이용하여 전개한 다음 동류항끼리 모아서 간단히 정리한다. $a(b+c)=ab+ac$

$$(a+b)(c+d)=ac+ad+bc+bd$$

 대표예제

• 정답 및 풀이 8쪽

01 다음 식을 간단히 하여라.

(1) $(3x^2-4x+1)+(x^2+5x+3)$

(2) $(4y^2-y+2)-(y^2+2y-7)$

풀이 (1) $(3x^2-4x+1)+(x^2+5x+3)=3x^2-4x+1+x^2+5x+3$

$=3x^2+x^2-4x+5x+1+3$

$=(3+\square)x^2+(-4+\square)x+1+\square$

$=\boxed{}$

(2) $(4y^2-y+2)-(y^2+2y-7)=4y^2-y+2-y^2-2y+7$

$=4y^2-y^2-y-2y+2+7$

$=(4-\square)y^2+(-1-\square)y+2+\square$

$=\boxed{}$

이차식의 덧셈, 뺄셈은 일차식의 덧셈, 뺄셈과 같이 괄호가 있으면 괄호를 풀고 동류항끼리 모아서 계산한다.

02 다음 식을 전개하여라.

(1) $2a(a-b)+3a(a+2b)$ (2) $3x(x+y)-2x(4x+y)$

풀이

(1) $2a(a-b)+3a(a+2b)=2a^2-\boxed{}+3a^2+\boxed{}$

$\qquad\qquad\qquad\qquad\quad =2a^2+3a^2-\boxed{}+\boxed{}$

$\qquad\qquad\qquad\qquad\quad =\boxed{}$

(2) $3x(x+y)-2x(4x+y)=3x^2+\boxed{}-\boxed{}-2xy$

$\qquad\qquad\qquad\qquad\qquad =3x^2-\boxed{}+\boxed{}-2xy$

$\qquad\qquad\qquad\qquad\qquad =\boxed{}$

> 분배법칙을 이용하여 단항식을 다항식의 각 항에 곱한다.

03 $(5x^2+15xy)\div 5x$ 를 간단히 하여라.

풀이

[방법 1] $(5x^2+15xy)\div 5x=\dfrac{5x^2+15xy}{\boxed{}}$

$\qquad\qquad\qquad\qquad\quad =\dfrac{5x^2}{\boxed{}}+\dfrac{15xy}{\boxed{}}$

$\qquad\qquad\qquad\qquad\quad =\boxed{}$

[방법 2] $(5x^2+15xy)\div 5x=(5x^2+15xy)\times\dfrac{1}{5x}$

$\qquad\qquad\qquad\qquad\quad =5x^2\times\boxed{}+15xy\times\boxed{}$

$\qquad\qquad\qquad\qquad\quad =\boxed{}$

> 단항식이 분수 꼴일 때는 [방법 1]을 따르는 것이 편리하다.

04 다음 식을 전개하여라.

(1) $(2x+3)(x+4)$ (2) $(x+2y)(3x-y)$

풀이

(1) $(2x+3)(x+4)=\boxed{}\times x+\boxed{}\times 4+\boxed{}\times x+\boxed{}\times 4$

$\qquad\qquad\qquad\quad =\boxed{}+8x+\boxed{}+12$

$\qquad\qquad\qquad\quad =\boxed{}$

(2) $(x+2y)(3x-y)=x\times\boxed{}+x\times(\boxed{})+2y\times\boxed{}+2y\times(\boxed{})$

$\qquad\qquad\qquad\qquad =3x^2-\boxed{}+6xy-\boxed{}$

$\qquad\qquad\qquad\qquad =\boxed{}$

> 두 다항식의 곱을 전개하였을 때, 전개식에 동류항이 있으면 동류항끼리 모아서 간단히 정리한다.

다항식을 단항식으로 나누기

$\dfrac{4a^2+6ab}{2a}$ 를 약분할 때, $2a$는 분자 $4a^2+6ab$의 공통의 분모이므로 반드시 $\dfrac{4a^2}{2a}+\dfrac{6ab}{2a}=2a+3b$로 계산하여야 한다. 즉, 분수인 다항식에서 하나의 항만을 약분하여 $\dfrac{4a^2+6ab}{2a}=2a+6ab$ 또는 $\dfrac{4a^2+6ab}{2a}=4a^2+3b$로 계산하지 않도록 한다.

어떤 교과서에나 나오는 문제

중요도 ☐ 손도 못댐 ☐ 과정 실수 ☐ 틀린 이유:

01 $(3x-2y)-(6x-7y)=ax+by$일 때, 상수 a, b에 대하여 $a+b$의 값은?

① -2 ② -1 ③ 0

④ 1 ⑤ 2

중요도 ☐ 손도 못댐 ☐ 과정 실수 ☐ 틀린 이유:

02 $2(2x^2-3x+1)-(5x^2+Ax-3)$
$=Bx^2-2x+C$
일 때, $A+B+C$의 값은? (단, A, B, C는 상수)

① -6 ② -4 ③ 0

④ 8 ⑤ 10

중요도 ☐ 손도 못댐 ☐ 과정 실수 ☐ 틀린 이유:

03 어떤 식에 $3x^2-2x+1$을 더해야 할 것을 잘못하여 빼었더니 x^2-3x+5가 되었다. 이때 어떤 식을 구하여라.

중요도 ☐ 손도 못댐 ☐ 과정 실수 ☐ 틀린 이유:

04 $-2x(x^2-5x+2)=ax^3+bx^2+cx$일 때, $a+b+c$의 값은? (단, a, b, c는 상수)

① -5 ② -1 ③ 1

④ 4 ⑤ 9

05 중요도 ☐ 손도 못댐 ☐ 과정 실수 ☐ 틀린 이유:

$2x(3x+y)-3y(y-x+2)$를 간단히 하였을 때, y^2의 계수를 a, xy의 계수를 b라고 하자. 이때 ab의 값은?

① -15 ② -6 ③ -3
④ 6 ⑤ 15

06 중요도 ☐ 손도 못댐 ☐ 과정 실수 ☐ 틀린 이유:

$(4x^2y-12xy^2)\div 4xy$를 간단히 하면?

① $2x$ ② $-2y$ ③ $x-3y^2$
④ $x-3y$ ⑤ $xy-3y$

07 중요도 ☐ 손도 못댐 ☐ 과정 실수 ☐ 틀린 이유:

$x(-x+2)+(9x^3-3x^2)\div 3x$를 간단히 하였을 때, x^2의 계수 a와 x의 계수 b에 대하여 $a+b$의 값은?

① -2 ② -1 ③ 1
④ 2 ⑤ 3

08 중요도 ☐ 손도 못댐 ☐ 과정 실수 ☐ 틀린 이유:

밑넓이가 $6ab$인 직육면체의 부피가 $24a^2b-30ab^3$일 때, 직육면체의 높이는?

① $4a^2b^2-5a^2b^4$ ② $4a^2b-5b^2$
③ $4b-5b^2$ ④ $4a-5b^2$
⑤ $4a-30ab^2$

01 $4(3a-5b)-3(2a-7b)$을 간단히 하면?

① $a-12b$ ② $a+2b$ ③ $6a-b$
④ $6a+b$ ⑤ $10a-27b$

02 $4a-9b-1$에 어떤 다항식을 더해야 할 것을 잘못하여 빼었더니 $5a-6b-2$이 되었다. 이때 옳게 계산한 식은?

① $3a-12b$ ② $3a-12b-1$
③ $3a-12b-3$ ④ $3a-6b$
⑤ $3a-6b-1$

03 $x-[3x-7y-\{5x+y-(x-\square)\}]=-2x+11y$
일 때, $\square$ 안에 알맞은 식은?

① $4x$ ② $3y$ ③ $-4x+3y$
④ $4x-3y$ ⑤ $3x-6y-1$

04 다음 중 x에 대한 이차식을 모두 고르면? (정답 2개)

① x^2+2 ② $2x^3-x^2$
③ $x-2y+3$ ④ $4x^2-2x+1$
⑤ $2x+y$

• 정답 및 풀이 9쪽

05 중요도 ☐ 손도 못댐 ☐ 과정 실수 ☐ 틀린 이유:

$A=2x^2-5x-2$, $B=x^2-3x-1$일 때,
$2A-5B$를 간단히 하면?

① $-x^2-5x-1$ ② $-x^2+5x+1$

③ $-x^2+10x+1$ ④ $-x^2+25x-1$

⑤ $-x^2-25x+1$

06 중요도 ☐ 손도 못댐 ☐ 과정 실수 ☐ 틀린 이유:

어떤 식에 $3x^2-4x-2$를 더해야 할 것을 잘못하여 빼었더니 $2x^2+x-6$이 되었다. 이때 옳게 계산한 식은?

① x^2-9x-8 ② $4x^2-7x-8$

③ $5x^2-3x-8$ ④ $8x^2-7x-10$

⑤ $8x^2-9x-6$

07 중요도 ☐ 손도 못댐 ☐ 과정 실수 ☐ 틀린 이유:

$2x(x-3y+1)-y(3x-2y)$를 전개하여 간단히 하였을 때, xy의 계수는?

① -9 ② -3 ③ -1

④ 2 ⑤ 4

08 중요도 ☐ 손도 못댐 ☐ 과정 실수 ☐ 틀린 이유:

다음 중 옳지 <u>않은</u> 것은?

① $3x(x-1)=3x^2-3x$

② $-x(2x+3y-1)=-2x^2-3xy+x$

③ $ab(2a-b+1)=2a^2b-ab^2+ab$

④ $\frac{1}{3}x(6x^2-3x)=2x^3-1$

⑤ $-\frac{2}{xy}(4x^2y-2xy)=-8x+4$

중요도 ☐ 손도 못댐 ☐ 과정 실수 ☐ 틀린 이유:

09 다음 식을 간단히 하여라.

$$4x(x-1)-3x(-x+1)-2(x^2+1)$$

중요도 ☐ 손도 못댐 ☐ 과정 실수 ☐ 틀린 이유:

10 $\dfrac{4x^2y-10xy^2}{2xy}-\dfrac{9xy^2-15x^2y}{3xy}=Ax+By$

일 때, $A-B$의 값은? (단, A, B는 상수)

① -5 ② -1 ③ 1

④ 5 ⑤ 15

중요도 ☐ 손도 못댐 ☐ 과정 실수 ☐ 틀린 이유:

11 $3x(5x-2)+(24x^2y-18x^3y)\div(-6xy)$를 간단히 하였을 때, x^2의 계수와 x의 계수의 합은?

① -8 ② -4 ③ 8

④ 12 ⑤ 14

중요도 ☐ 손도 못댐 ☐ 과정 실수 ☐ 틀린 이유:

12 어떤 식에 $-4ab$를 곱해야 할 것을 잘못하여 나누었더니 $2a-3b$가 되었다. 이때 옳게 계산한 식을 구하여라.

13 $(x-2y-5)(3x+ay-2)$를 전개한 식에서 xy의 계수가 -2일 때, 상수 a의 값은?

① -4　　　② -2　　　③ 2

④ 4　　　⑤ 6

14 $(x+2y)(Ax+y-5)$를 전개한 식에서 xy의 계수가 x^2의 계수와 y^2의 계수의 합의 5배일 때, 상수 A의 값은?

① -3　　　② -2　　　③ -1

④ 2　　　⑤ 3

15 그림과 같이 밑면의 가로의 길이가 $3xy$, 세로의 길이가 $2y$인 직육면체의 부피가 $18xy^3+24x^3y^2$일 때, 직육면체의 높이를 구하여라.

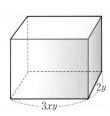

16 오른쪽 그림과 같은 원기둥의 부피가 $12\pi a^3-6\pi a^2b$이다. 이 원기둥의 밑면의 반지름의 길이가 a일 때, 원기둥의 높이를 구하여라.

01
중요도 ☐ 손도 못댐 ☐ 과정 실수 ☐ 틀린 이유:

다음 중에서 옳지 <u>않은</u> 것은?

① 정수 또는 유한소수로 나타낼 수 없는 유리수는 반드시 순환소수가 된다.
② 0을 제외한 모든 유리수는 순환소수로 나타낼 수 있다.
③ 기약분수에서 분모가 2나 5 이외의 소인수를 가질 때, 기약분수는 순환소수로 나타낼 수 있다.
④ 모든 무한소수는 유리수이다.
⑤ 유한소수는 분수로 나타낼 수 있다.

02
중요도 ☐ 손도 못댐 ☐ 과정 실수 ☐ 틀린 이유:

다음 중 소수로 나타낼 때, 무한소수인 것은?

① $\dfrac{9}{15}$
② $\dfrac{3}{64}$
③ $\dfrac{3^3}{2^3 \times 3 \times 5^2}$
④ $\dfrac{12}{2^2 \times 3^2 \times 5}$
⑤ $\dfrac{14}{2 \times 7 \times 5^2}$

03
중요도 ☐ 손도 못댐 ☐ 과정 실수 ☐ 틀린 이유:

두 분수 $\dfrac{1}{6}$과 $\dfrac{5}{8}$ 사이의 분수 중에서 분모가 24이고 유한소수로 나타낼 수 있는 수는 모두 몇 개인가?

① 3개
② 4개
③ 5개
④ 6개
⑤ 7개

04
중요도 ☐ 손도 못댐 ☐ 과정 실수 ☐ 틀린 이유:

분수 $\dfrac{x}{180}$가 유한소수가 되게 하는 두 자리 자연수 x의 개수는?

① 9
② 10
③ 11
④ 12
⑤ 13

05
중요도 ☐ 손도 못댐 ☐ 과정 실수 ☐ 틀린 이유:

$0.\dot{5} = 5 \times x$, $0.\dot{4}\dot{5} = y \times 0.\dot{0}\dot{1}$일 때, xy의 값은?

① 3
② 5
③ 6
④ 9
⑤ 15

06
중요도 ☐ 손도 못댐 ☐ 과정 실수 ☐ 틀린 이유:

순환소수 $4.\dot{5}$에 자연수 k를 곱한 값이 자연수가 될 때, 다음 중 k의 값이 될 수 <u>없는</u> 것을 모두 고르면?
(정답 2개)

① 9
② 12
③ 18
④ 27
⑤ 30

07 📝서술형   중요도 ☐   손도 못댐 ☐   과정 실수 ☐   틀린 이유:

분수 $\dfrac{33}{200 \times a}$을 유한소수로 나타낼 수 없을 때, a의 값으로 알맞은 한 자리 자연수들의 합을 구하여라.

08   중요도 ☐   손도 못댐 ☐   과정 실수 ☐   틀린 이유:

두 분수 $\dfrac{7}{130}$, $\dfrac{11}{450}$에 어떤 자연수 x를 곱하여 두 분수 모두 유한소수로 나타낼 수 있도록 하려고 한다. 이를 만족하는 x의 값 중 가장 작은 세 자리 자연수를 구하여라.

09   중요도 ☐   손도 못댐 ☐   과정 실수 ☐   틀린 이유:

다음 중 ☐ 안에 들어갈 수가 나머지 넷과 <u>다른</u> 하나는?

① $(x^\square)^3 \div x^2 = x^7$ ② $x^2 \div x^\square = \dfrac{1}{x^2}$

③ $a^2 \times (-a)^\square \div a^3 = a^3$ ④ $y^\square \times y^6 = y^{10}$

⑤ $\left(\dfrac{b^2}{a}\right)^2 = \dfrac{b^\square}{a^2}$

10   중요도 ☐   손도 못댐 ☐   과정 실수 ☐   틀린 이유:

$3x^2 y^3 z \times \square = 6x^5 y^4 z$일 때, ☐ 안에 알맞은 식은?

① $2x^2 y^2$ ② $2x^3 y$ ③ $2xy^3$

④ $3x^2 y^2$ ⑤ $3x^3 y$

11   중요도 ☐   손도 못댐 ☐   과정 실수 ☐   틀린 이유:

다음 중 옳지 <u>않은</u> 것은?

① $4a^2 b \times (-6ab^2) = -24a^3 b^3$

② $(-2ab^2)^3 \times \dfrac{1}{4}a = -2a^4 b^6$

③ $(-24x^2 y^3) \div (-8xy^2) = 3xy$

④ $(-3xy)^2 \div 3xy^3 = \dfrac{3x}{y}$

⑤ $(-8ab^3) \div \dfrac{4a}{b} \times \dfrac{3a}{b^2} = -6a$

12   중요도 ☐   손도 못댐 ☐   과정 실수 ☐   틀린 이유:

$4(3a - 5b) - 3(2a - 7b)$을 간단히 하면?

① $a - 12b$ ② $a + 2b$ ③ $6a - b$

④ $6a + b$ ⑤ $10a - 27b$

13 중요도 ☐ 손도 못댐 ☐ 과정 실수 ☐ 틀린 이유:

$-(Ax^2-4x+2)-2(2x^2+Bx-3)$
$=-7x^2-2x+C$
일 때, $A+B+C$의 값은? (단, A, B, C는 상수)

① -4 ② -2 ③ 2

④ 4 ⑤ 10

14 중요도 ☐ 손도 못댐 ☐ 과정 실수 ☐ 틀린 이유:

어떤 식에 x^2+4x-1을 더해야 할 것을 잘못하여 뺐었더니 $2x^2-x-5$가 되었다. 이때 옳게 계산한 식은?

① x^2-9x-7 ② $4x^2+7x-7$
③ $5x^2-3x-7$ ④ $8x^2+7x-10$
⑤ $8x^2-9x-6$

15 중요도 ☐ 손도 못댐 ☐ 과정 실수 ☐ 틀린 이유:

$a-[2a-3b-\{3a+b-(5a-b)\}]$을 간단히 하였을 때, a의 계수와 b의 계수의 합은?

① -4 ② -2 ③ 2

④ 4 ⑤ 6

16 중요도 ☐ 손도 못댐 ☐ 과정 실수 ☐ 틀린 이유:

$\square \div (-3a^3b^2)^3 = \dfrac{1}{3}ab^2$일 때, $\square$ 안에 알맞은 식은?

① $-9a^{10}b^8$ ② $9a^{10}b^8$ ③ $-\dfrac{1}{9}a^{10}b^8$

④ $-\dfrac{1}{9}a^8b^4$ ⑤ $9a^8b^{10}$

17 중요도 ☐ 손도 못댐 ☐ 과정 실수 ☐ 틀린 이유:

$(x+a)(2x-1)=2x^2+x-a$일 때, 상수 a의 값은?

① -2 ② -1 ③ 1

④ 2 ⑤ 3

18 중요도 ☐ 손도 못댐 ☐ 과정 실수 ☐ 틀린 이유:

$x=3a-b$, $y=a-2b$일 때, $-2x+5y$를 a, b의 식으로 나타내면?

① $-a-10b$ ② $-a-8b$
③ $-a-6b$ ④ $a-3b$
⑤ $a-9b$

• 정답 및 풀이 9쪽

19 중요도 ☐ 손도 못댐 ☐ 과정 실수 ☐ 틀린 이유:

$x+y-2=0$일 때, $xy+x-y$를 y의 식으로 나타내면?

① $-y^2-1$ ② $-y^2+2$

③ $-y^2+4y-1$ ④ y^2-2y+2

⑤ $2y^2+2y-1$

20 중요도 ☐ 손도 못댐 ☐ 과정 실수 ☐ 틀린 이유:

$4x=3y$일 때, $\dfrac{2x^3-6x^2y}{2x^3+3x^2y}$의 값은? (단, $x\neq0$)

① -2 ② -1 ③ 0

④ 1 ⑤ 2

21 중요도 ☐ 손도 못댐 ☐ 과정 실수 ☐ 틀린 이유:

$8^3\times16^\square\div32^2=2^{11}$일 때, ☐ 안에 알맞은 수를 구하여라.

22 🖋서술형 중요도 ☐ 손도 못댐 ☐ 과정 실수 ☐ 틀린 이유:

$-3(2x+5y-1)+2(-x+2y-5)=Ax+By+C$

일 때, $A-B+C$의 값을 구하여라.

23 중요도 ☐ 손도 못댐 ☐ 과정 실수 ☐ 틀린 이유:

그림과 같은 두 직육면체 A와 B의 부피의 비를 구하여라.

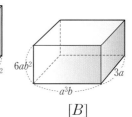

$$[A] \qquad [B]$$

24 중요도 ☐ 손도 못댐 ☐ 과정 실수 ☐ 틀린 이유:

다음 ☐ 안에 알맞은 식을 구하여라.

$$(2x^2y^3)^2\div\boxed{}\div6x^2y^2=\dfrac{4y^3}{3x}$$

05 부등식의 해와 성질

학습목표 • 다양한 상황을 이용하여 일차부등식과 그 해의 의미를 이해한다.

 기본 체크

01

다음을 부등식으로 나타내어라.

> 어떤 수 x에 2배를 하여 4를 뺀 것은 20보다 크거나 같다.

02

$a < b$일 때, 다음 ☐ 안에 알맞은 부등호를 써넣어라.

(1) $a + 3 \ \square\ b + 3$

(2) $a - (-2) \ \square\ b - (-2)$

(3) $6a \ \square\ 6b$

(4) $-\dfrac{a}{6} \ \square\ -\dfrac{b}{6}$

 핵심 정리

🌀 부등식

부등호 $<$, $>$, $\le$, $\ge$ 를 사용하여 식이나 수량 사이의 대소 관계를 나타낸 식

$$\underset{\text{좌변}}{2x-1} \ > \ \underset{\text{우변}}{3}$$
양변

🌀 부등식의 해 ⟶ 부등식의 해를 구하는 것을 부등식을 푼다고 한다.

부등식을 참이 되게 하는 미지수의 값

🌀 부등식의 기본 성질

① 부등식의 양변에 같은 수를 더하거나 양변에서 같은 수를 빼어도 부등호의 방향은 바뀌지 않는다.

$a < b$이면 $a+c < b+c$, $a-c < b-c$

② 부등식의 양변에 같은 양수를 곱하거나 양변을 같은 양수로 나누어도 부등호의 방향은 바뀌지 않는다.

$a < b$, $c > 0$이면 $ac < bc$, $\dfrac{a}{c} < \dfrac{b}{c}$

③ 부등식의 양변에 같은 음수를 곱하거나 양변을 같은 음수로 나누면 부등호의 방향은 바뀐다. 등식에서는 양변에 같은 음수를 곱하거나 나누어도 등식은 성립한다.

$a < b$, $c < 0$이면 $ac > bc$, $\dfrac{a}{c} > \dfrac{b}{c}$

 대표예제

• 정답 및 풀이 11쪽

01 x가 자연수일 때, 부등식 $2x - 9 < 0$의 해를 구하여라.

풀이 $x = 1$일 때,

$2 \times 1 - 9 = -7 \ \square\ 0$이므로 ☐

$x = 2$일 때,

$2 \times 2 - 9 = -5 \ \square\ 0$이므로 ☐

$x = 3$일 때,

$2 \times 3 - 9 = -3 \ \square\ 0$이므로 ☐

$x = 4$일 때,

$2 \times 4 - 9 = -1 \ \square\ 0$이므로 ☐

$x = 5$일 때,

$2 \times 5 - 9 = 1 \ \square\ 0$이므로 ☐

따라서 주어진 부등식의 해는 ☐, ☐, ☐, ☐이다.

x	좌변	대소 비교	0	$2x-9<0$
1	-7	☐	0	☐
2	-5	☐	0	☐
3	-3	☐	0	☐
4	-1	☐	0	☐
5	1	☐	0	☐
⋮	⋮	⋮	⋮	⋮

> 부등식의 해는 부등식의 조건을 만족하는 모든 미지수의 값을 말한다.

02 다음 중 $x=-1$이 해가 아닌 부등식을 모두 골라라.

(1) $2x-3<x$

(2) $4x \geq 5x$

(3) $6-2x<8$

(4) $-11<x-8$

풀이 (1) $2 \times (-1)-3=-5 \boxed{} -1$ ∴ $\boxed{}$

(2) $4 \times (-1)=-4 \boxed{} 5 \times (-1)=-5$ ∴ $\boxed{}$

(3) $6-2 \times (-1)=8=8$ ∴ $\boxed{}$

(4) $-11 \boxed{} -1-8=-9$ ∴ $\boxed{}$

따라서 $x=-1$이 해가 아닌 부등식은 $\boxed{}$이다.

부등식의 해를 부등식에 대입하면 부등호가 성립한다.

03 $a<b$일 때, 다음 □ 안에 알맞은 부등호를 써넣어라.

(1) $5a-3 \square 5b-3$

(2) $-2a+3 \square -2b+3$

풀이 (1) $a<b$의 양변에 5를 곱하여도 부등호의 방향은 $\boxed{}$

$5a \square 5b$

또, 이 부등식의 양변에서 3을 빼어도 부등호의 방향은 $\boxed{}$

$5a-3 \square 5b-3$

(2) $a<b$의 양변에 -2를 곱하면 부등호의 방향이 $\boxed{}$

$-2a \square -2b$

또, 이 부등식의 양변에 3을 더하면 부등호의 방향이 $\boxed{}$

$-2a+3 \square -2b+3$

부등식의 성질은 $<$, $>$를 $\leq$, $\geq$로 바꾸어도 성립한다.

주어진 범위에서 x의 값을 $-3x+2$로 변형하여 범위를 구한다.

04 $-2<x<1$일 때, $-3x+2$의 값의 범위를 구하여라.

풀이 $-2<x<1$에서 $\boxed{} < -3x < \boxed{}$

$\boxed{}+2 < -3x+2 < \boxed{}+2$

∴ $\boxed{} < -3x+2 < \boxed{}$

부등식의 성질을 배우는 이유

양변에 같은 수를 더하고, 빼고, 곱하고, 양변을 같은 수로 나누는 경우가 아니어도 부등호의 방향을 결정할 수 있을 때도 있다. 예를 들어 $a<b$일 때, $a+1<b+2$이다. 그러나 부등식의 성질을 배우는 이유는 같은 수에 대한 덧셈, 뺄셈, 곱셈, 나눗셈을 간단히 나타내는 데 있다. 따라서 반드시 같은 수로 계산해야 하며 이때의 부등호의 방향을 구할 수 있어야 한다.

어떤 교과서에나 나오는 문제

01 다음 중 부등식인 것을 모두 고르면? (정답 2개)

① $3x < 6$ ② $x - 2 = -4$

③ $-2x + 5$ ④ $5 - (3 - x)$

⑤ $4x - 1 \geq x$

02 '어떤 수 x에서 2를 뺀 것은 x의 3배에 1을 더한 것보다 작다.'를 부등식으로 나타내면?

① $x - 2 < 3x - 1$

② $x + 2 < 3x + 1$

③ $x + 2 > 3x - 1$

④ $2x - 2 > 3x + 1$

⑤ $x - 2 < 3x + 1$

03 다음 문장을 부등식으로 나타낸 것 중 옳은 것은?

① x는 3보다 작거나 같다. ▷ $x < 3$

② x의 4배는 16 이상이다. ▷ $4x \leq 16$

③ 어떤 수 x에 5를 더하면 7보다 크다.
  ▷ $x + 5 \geq 7$

④ x는 3 초과 9 미만이다. ▷ $3 < x < 9$

⑤ x의 2배는 x에서 4를 뺀 것보다 작다.
  ▷ $2x < x + 4$

04 '한 권에 x원인 공책 5권의 가격은 4000원 이하이다.'를 부등식으로 나타내면?

① $5x \leq 4000$ ② $5x < 4000$

③ $5x \geq 4000$ ④ $5x > 4000$

⑤ $5x = 4000$

중요도 ☐ 손도 못댐 ☐ 과정 실수 ☐ 틀린 이유:

05 다음 중 〔 〕 안의 수가 주어진 부등식의 해인 것은?

① $x+1 \leq 5$ 〔6〕
② $4x-3 < 9$ 〔2〕
③ $-3x \geq 15$ 〔0〕
④ $-x+6 < 2x$ 〔2〕
⑤ $5-x \geq \dfrac{3}{2}$ 〔4〕

중요도 ☐ 손도 못댐 ☐ 과정 실수 ☐ 틀린 이유:

06 x가 자연수일 때, 부등식 $2x+3 < 15$를 만족하는 가장 큰 자연수는?

① 4 　　　② 5 　　　③ 6
④ 7 　　　⑤ 8

중요도 ☐ 손도 못댐 ☐ 과정 실수 ☐ 틀린 이유:

07 $a < b$일 때, 다음 중 옳지 <u>않은</u> 것은?

① $2a-1 < 2b-1$ 　　② $-3+a > -3+b$
③ $\dfrac{a}{3} < \dfrac{b}{3}$ 　　　　④ $-a > -b$
⑤ $\dfrac{3-a}{2} > \dfrac{3-b}{2}$

중요도 ☐ 손도 못댐 ☐ 과정 실수 ☐ 틀린 이유:

08 $1 < x < 4$일 때, $a < 2x-3 < b$를 만족하는 a, b에 대하여 $a+b$의 값은?

① 1 　　　② 2 　　　③ 3
④ 4 　　　⑤ 5

중요도 ☐ 손도 못댐 ☐ 과정 실수 ☐ 틀린 이유:

01 다음 중 부등식인 것을 모두 고르면? (정답 2개)

① $2x-1>5$ ② $3x+2=5-x$

③ $x-(5x+3)$ ④ $3x+3=3(x+1)$

⑤ $2x+1\leq3(x+1)$

중요도 ☐ 손도 못댐 ☐ 과정 실수 ☐ 틀린 이유:

02 2 km를 걷다가 자전거를 타고 시속 20 km로 x시간 동안 갔을 때 총 이동 거리는 24 km 이하이다.'를 부등식으로 나타내면?

① $20x+2\leq24$ ② $20x+2\geq24$

③ $20x+2<24$ ④ $\dfrac{20}{x}+2\leq24$

⑤ $\dfrac{20}{x}+2>24$

중요도 ☐ 손도 못댐 ☐ 과정 실수 ☐ 틀린 이유:

03 다음 문장을 부등식으로 나타낸 것 중 옳지 않은 것은?

① x는 −3 이상 5 미만이다. ▷ $-3\leq x<5$

② x는 양수가 아니다. ▷ $x<0$

③ x의 3배는 5초과 10 이하이다. ▷ $5<3x\leq10$

④ 어떤 수 x의 2배는 x에 3을 더한 것보다 작지 않다. ▷ $2x\geq x+3$

⑤ x에 2를 더한 것의 3배는 10보다 크다.
 ▷ $3(x+2)>10$

중요도 ☐ 손도 못댐 ☐ 과정 실수 ☐ 틀린 이유:

04 다음 중 [ ] 안의 수가 주어진 부등식의 해인 것을 모두 고르면? (정답 2개)

① $3x-1\geq10$ 〔4〕

② $2x+1>5x$ 〔6〕

③ $-3x+2\leq5+x$ 〔−3〕

④ $8\leq2x-9$ [8]

⑤ $5+x\geq2x-3$ 〔0〕

05 중요도 ☐ 손도 못댐 ☐ 과정 실수 ☐ 틀린 이유:

다음 부등식 중 $x=3$이 해가 되는 것은?

① $2x+1>7$ ② $x+2<-4$
③ $x+3\geq10$ ④ $3x>4x-4$
⑤ $1-x<-5$

06 중요도 ☐ 손도 못댐 ☐ 과정 실수 ☐ 틀린 이유:

다음 부등식 중 방정식 $5-2x=-1$을 만족시키는 x의 값을 해로 갖는 것은?

① $x<2x-2$ ② $3(x+1)<10$
③ $4(2-x)\geq3$ ④ $2x+3<8$
⑤ $\dfrac{x}{3}<2(x-3)$

07 중요도 ☐ 손도 못댐 ☐ 과정 실수 ☐ 틀린 이유:

부등식 $4x-2>7$을 참이 되게 하는 가장 작은 자연수는?

① 1   ② 2   ③ 3
④ 4   ⑤ 5

08 중요도 ☐ 손도 못댐 ☐ 과정 실수 ☐ 틀린 이유:

$x\leq2$일 때, 다음 중 옳지 <u>않은</u> 것은?

① $2x\leq4$ ② $-\dfrac{x}{2}\geq-1$
③ $\dfrac{x}{2}-1\geq0$ ④ $x-4\leq-2$
⑤ $2-x\geq0$

09 $a < b$일 때, 다음 중 옳지 <u>않은</u> 것은?

① $2a - \dfrac{1}{2} < 2b - \dfrac{1}{2}$

② $-3(a+2) > -3(b+2)$

③ $-5a + 1 > -5b + 1$

④ $\dfrac{2-a}{3} < \dfrac{2-b}{3}$

⑤ $\dfrac{2(1-a)}{-5} < \dfrac{2(1-b)}{-5}$

10 $a < b$일 때, 다음 중 옳은 것은?

① $a^2 < ab$ ② $a^2 < b^2$

③ $-3 + a > -3 + b$ ④ $2a - 3b < a - 2b$

⑤ $a + b > 2b$

11 $2 - 3a > 2 - 3b$일 때, 다음 중 옳지 <u>않은</u> 것은?

① $2a - 3 < 2b - 3$ ② $\dfrac{a}{4} < \dfrac{b}{4}$

③ $\dfrac{a-3}{4} > \dfrac{b-3}{4}$ ④ $-a > -b$

⑤ $2 - \dfrac{a}{3} > 2 - \dfrac{b}{3}$

12 $a < 0 < b$일 때, 다음 중 항상 성립하는 것은?

(단, c는 상수)

① $\dfrac{1}{a} < \dfrac{1}{b}$ ② $ac < bc$ ③ $\dfrac{a}{c} > \dfrac{b}{c}$

④ $\dfrac{1}{b} < \dfrac{1}{a}$ ⑤ $\dfrac{b}{a} < \dfrac{a}{b}$

13 중요도 ☐ 손도 못댐 ☐ 과정 실수 ☐ 틀린 이유:

$a>0$, $b<0$, $c>0$일 때, 대소 관계를 부등호를 사용하여 나타낸 것 중 옳은 것은?

① $ac<bc$　　　　　② $ac-bc<0$
③ $ac<ab$　　　　　④ $ac-ab>0$
⑤ $ab>b^2$

14 중요도 ☐ 손도 못댐 ☐ 과정 실수 ☐ 틀린 이유:

$-3<a\leq4$일 때, $3a+1$의 값의 범위는?

① $-9<3a+1\leq13$　　② $-10<3a+1\leq12$
③ $-8<3a+1\leq13$　　④ $-10<3a+1\leq13$
⑤ $-8<3a+1\leq12$

15 중요도 ☐ 손도 못댐 ☐ 과정 실수 ☐ 틀린 이유:

$-5\leq3b+7<19$일 때, b의 값의 범위는?

① $-4\leq b<4$　　　　② $-4<b\leq4$
③ $0\leq b<4$　　　　④ $0<b\leq4$
⑤ $-2<b\leq4$

16 중요도 ☐ 손도 못댐 ☐ 과정 실수 ☐ 틀린 이유:

$-2\leq x<1$일 때, $A=6-3x$를 만족하는 A의 값 중 정수의 개수는?

① 5　　　　② 6　　　　③ 7
④ 8　　　　⑤ 9

06 일차부등식

학습목표 · 부등식의 기본 성질을 이용하여 일차부등식을 풀 수 있다.

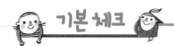

기본 체크

01

다음 중 일차부등식을 모두 찾아라.

(1) $5x-1<9$

(2) $6x+7>1+6x$

(3) $-x-7\leq x+7$

(4) $2x^2+5\geq 20$

02

다음 일차부등식을 풀어라.

(1) $x-5<3$　　(2) $x+4>6$

(3) $3x\geq 9$　　(4) $-6x\leq 12$

핵심 정리

☀ 일차부등식

부등식의 성질을 이용하여 정리한 식이

(일차식) >0, (일차식) <0, (일차식) ≥ 0, (일차식) ≤ 0

중 어느 하나로 변형되는 부등식

☀ 일차부등식의 풀이

① 계수에 소수나 분수가 있으면 양변에 적당한 수를 곱하여 계수를 정수로 고친다.

② 괄호가 있으면 괄호를 푼다.

③ 미지수 x를 포함한 항은 좌변으로, 상수항은 우변으로 이항한다.

④ 양변을 x의 계수로 나누어 $x<(수)$, $x>(수)$, $x\leq(수)$, $x\geq(수)$ 중에서 어느 하나의 꼴로 나타낸다.

이때 x의 계수가 음수이면 부등호의 방향이 바뀌는 것에 주의한다.

대표예제

· 정답 및 풀이 13쪽

01 다음 일차부등식을 풀고, 그 해를 수직선 위에 나타내어라.

(1) $3x-1\leq 8$　　　　(2) $-2x+4>8$

풀이 (1) -1을 이항하면 $3x\leq 8\ \square\ 1$

이 식을 정리하면 $3x\leq\square$

양변을 3으로 나누면 $x\leq\square$

이 해를 수직선 위에 나타내면 그림과 같다.

(2) 4를 이항하면 $-2x>8\ \square\ 4$

이 식을 정리하면 $-2x>\square$

양변을 -2로 나누면 $x<\square$

이 해를 수직선 위에 나타내면 그림과 같다.

> 수직선에서 ●는 경계의 점 a가 주어진 부등식의 해에 포함된다는 뜻이고, ○는 점 a가 포함되지 않는다는 뜻이다.

02 다음 일차부등식을 풀어라.

(1) $2(2+x) < -2-4x$　　　　　(2) $-(x+5) > 3(1+x)$

풀이 (1) 괄호를 풀면 $4 + \boxed{} < -2-4x$

$\boxed{} + 4x < -2-4$

$\boxed{} < -6$

양변을 $\boxed{}$으로 나누면 $x < \boxed{}$

(2) 괄호를 풀면 $-x-5 > 3 + \boxed{}$

$-x - \boxed{} > 3+5$

$\boxed{} > 8$

양변을 $\boxed{}$로 나누면 $x < \boxed{}$

> 괄호를 포함한 부등식을 풀 때에는 분배법칙을 이용하여 괄호를 먼저 풀고 부등식의 성질을 이용하여 정리한다.

03 일차부등식 $0.4x - 1.2 \geq 0.2x - 0.4$를 풀어라.

풀이 양변에 $\boxed{}$을 곱하면 $4x - 12 \geq 2x - 4$

-12와 $2x$를 이항하면 $4x \boxed{} 2x \geq -4 \boxed{} 12$

양변을 정리하면 $2x \geq \boxed{}$

양변을 2로 나누면 $x \geq \boxed{}$

> 계수가 소수인 일차부등식은 양변에 10, 100, 1000, ……과 같이 적당한 수를 곱하여 계수를 정수로 바꾼다.

04 일차부등식 $\dfrac{1}{2}x + \dfrac{1}{3} < x - \dfrac{1}{6}$을 풀어라.

풀이 양변에 분모 2, 3, 6의 최소공배수인 $\boxed{}$을 곱하면

$3x + \boxed{} < 6x - \boxed{}$

2와 $6x$를 이항하면 $3x \boxed{} 6x < -1 \boxed{} 2$

양변을 정리하면 $-3x < \boxed{}$

양변을 $\boxed{}$으로 나누면 $x > \boxed{}$

> 계수가 분수인 일차부등식은 양변에 분모의 최소공배수를 곱하여 계수를 정수로 바꾼다.

🐯 **일차부등식**

일차항이 있는 부등식이 모두 일차부등식이 되는 것이 아니라 부등식의 성질을 이용하여 모든 항을 좌변으로 옮겨 정리했을 때, 좌변이 일차식이고 우변이 0이 되는 부등식이 일차부등식이다.

어떤 교과서에나 나오는 문제

01 다음 중 일차부등식이 <u>아닌</u> 것은?

① $-3x+2x<5$ ② $2x-3<3$
③ $3x+x>4x$ ④ $5x+2\leq0$
⑤ $x+1<3(x+2)$

02 일차부등식 $2x-3<5x+9$를 풀면?

① $x<4$ ② $x>4$ ③ $x<-4$
④ $x>-4$ ⑤ $x>6$

03 다음 중 일차부등식 $3(x-2)>x+6$의 해를 수직선
위에 바르게 나타낸 것은?

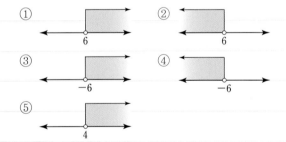

04 일차부등식 $-\dfrac{1}{4}x+2>\dfrac{2}{3}x-9$를 만족하는 x의

값 중 가장 큰 정수는?

① 9   ② 10   ③ 11
④ 12   ⑤ 13

05

일차부등식 $2(x+4)>5x-3$을 만족하는 x의 값 중 자연수의 개수는?

① 3   ② 4   ③ 5
④ 6   ⑤ 7

06

일차부등식 $0.3(x-2)\leq-0.2x+1.9$를 풀면?

① $x\leq5$ ② $x\leq6$ ③ $x\leq7$
④ $x\leq8$ ⑤ $x\leq10$

07

일차부등식 $1.2x+\dfrac{1}{3}<\dfrac{1}{2}x-\dfrac{1}{4}$의 해가

$x<-\dfrac{a}{b}$일 때, $a+b$의 값을 구하여라. (단, a, b는 서로소인 자연수)

08

일차부등식 $ax+2<-3$의 해가 $x>10$일 때, a의 값은?

① $-\dfrac{1}{2}$ ② $-\dfrac{1}{5}$ ③ $-\dfrac{1}{10}$
④ -2 ⑤ -5

01 다음 중 일차부등식인 것은?

① $3(x+1)>3x$ ② $-x+2<3x$

③ $2x-3>x^2$ ④ $2x+1=0$

⑤ $2x+3<2x+5$

02 x가 절댓값이 5 이하인 정수일 때, 일차부등식 $4(1-x)>-2x$의 해의 개수는?

① 5   ② 6   ③ 7

④ 8   ⑤ 9

03 다음 부등식 중 해가 $x<2$인 것을 모두 고르면?
                                    (정답 2개)

① $\dfrac{1}{3}x-1<x+1$ ② $0.2x+1<2-0.3x$

③ $3(x-1)<6$ ④ $\dfrac{x}{5}>2$

⑤ $4x+1<2x+5$

04 일차부등식 $2(x+3)\geq5x-15$를 만족시키는 모든 자연수 x값의 합은?

① 10   ② 15   ③ 21

④ 28   ⑤ 36

• 정답 및 풀이 14쪽

중요도 ☐ 손도 못댐 ☐ 과정 실수 ☐ 틀린 이유:

05 일차부등식 $2-\dfrac{4}{5}x<0.2(x+3)$의 해는?

① $x>\dfrac{7}{5}$ ② $x>\dfrac{6}{5}$ ③ $x>\dfrac{4}{5}$

④ $x>\dfrac{3}{5}$ ⑤ $x>\dfrac{2}{5}$

중요도 ☐ 손도 못댐 ☐ 과정 실수 ☐ 틀린 이유:

06 일차부등식 $0.3+\dfrac{1}{5}x<\dfrac{-3+5x}{4}$를 만족하는 가장

작은 정수는?

① -1 ② 0 ③ 1
④ 2 ⑤ 3

중요도 ☐ 손도 못댐 ☐ 과정 실수 ☐ 틀린 이유:

07 $a>0$일 때, 일차부등식 $7-ax<2ax-2$의 해는?

① $x>\dfrac{3}{a}$ ② $x>-\dfrac{3}{a}$ ③ $x<\dfrac{3}{a}$

④ $x<-\dfrac{3}{a}$ ⑤ $x>\dfrac{4}{a}$

중요도 ☐ 손도 못댐 ☐ 과정 실수 ☐ 틀린 이유:

08 일차부등식 $3(x-2)+2\le ax+8$의 해가 $x\le3$일
때, 상수 a의 값은?

① -1 ② 0 ③ 1
④ 2 ⑤ 3

09 일차부등식 $7-ax<2(ax+1)$의 해가 $x<-2$일 때, 상수 a의 값은?

① $-\dfrac{5}{6}$ ② $-\dfrac{2}{3}$ ③ $-\dfrac{1}{2}$

④ $-\dfrac{1}{3}$ ⑤ $-\dfrac{1}{6}$

10 일차부등식 $\dfrac{5-2x}{3}\le a-\dfrac{x}{2}$의 해 중 가장 작은 수가 2일 때, 상수 a의 값은?

① $\dfrac{1}{3}$ ② $\dfrac{2}{3}$ ③ 1

④ $\dfrac{4}{3}$ ⑤ $\dfrac{5}{3}$

11 일차부등식 $ax+2a<6a$의 해가 $x<4$일 때, a의 값이 될 수 있는 가장 작은 자연수는?

① 1 ② 2 ③ 3

④ 4 ⑤ 5

12 일차부등식 $7(2-x)+a\le3x-2$의 해가 $x\ge4$일 때, a의 값은?

① 12 ② 16 ③ 20

④ 24 ⑤ 28

중요도 ☐ 손도 못댐 ☐ 과정 실수 ☐ 틀린 이유:

13 일차부등식 $4(x-2)+a<-x+3$의 해가 $x<3$일
때, 상수 a의 값은?

① -2 ② -3 ③ -4
④ -5 ⑤ -6

중요도 ☐ 손도 못댐 ☐ 과정 실수 ☐ 틀린 이유:

14 일차부등식 $4-x<2x+1$과 $2(x-3)>a$의 해가
같을 때, 상수 a의 값은?

① -6 ② -5 ③ -4
④ -3 ⑤ -2

중요도 ☐ 손도 못댐 ☐ 과정 실수 ☐ 틀린 이유:

15 일차부등식 $\dfrac{5-2x}{3}\leq a-\dfrac{3}{2}x$를 만족시키는 x의 값

중 최댓값이 4일 때, 상수 a의 값은?

① 2 ② 3 ③ 4
④ 5 ⑤ 6

중요도 ☐ 손도 못댐 ☐ 과정 실수 ☐ 틀린 이유:

16 일차부등식 $4x-3\geq 2x-a$의 해 중 가장 작은 수가
-6일 때, 상수 a의 값은?

① 12 ② 13 ③ 14
④ 15 ⑤ 16

07 일차부등식의 활용

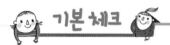

기본 체크

01

400원 짜리 볼펜과 1000원 짜리 메모지를 섞어서 7000원 이하로 사려고 한다. 볼펜을 4개 사면 메모지는 최대 몇 개까지 살 수 있는지 구하여라.

핵심 정리

수량 사이의 관계를 부등식으로 나타내어 일차부등식 또는 연립부등식을 세워서 푼다.

일차부등식의 활용 문제는 다음과 같은 순서로 풀면 편리하다.

① 문제의 뜻을 이해하고 구하려는 것을 미지수 x로 놓는다.

② 문제에 나오는 수량 사이의 관계를 찾아 부등식을 세운다.

③ 부등식을 풀어 해를 구한다.

④ 구한 해가 문제의 뜻에 맞는지 확인한다.

대표예제

· 정답 및 풀이 15쪽

01

민서는 어느 건물의 엘리베이터에서 최대 용량이 1000 kg이라고 적힌 문구를 보았다. 몸무게가 40 kg인 민서는 1개에 25 kg인 물건을 한 번에 몇 개까지 실어 나를 수 있는지 구하여라.

풀이

한 번에 나를 수 있는 물건의 개수를 x개라고 하면

(민서의 몸무게) + (실어 나를 수 있는 물건의 무게) ≤ 1000

이어야 하므로

$40 + \boxed{} \le 1000$

40을 이항하여 정리하면 $\boxed{} \le 960$, 즉 $x \le \boxed{}$

따라서 $\boxed{}$개까지 실어 나를 수 있다.

[검토]

$\boxed{}$개를 실은 경우 엘리베이터에 실은 용량은

$40 + \boxed{} \times 25 = \boxed{}$ (kg)

이므로 $\boxed{}$개까지 실을 수 있음을 확인할 수 있다.

또, $40 + 39 \times 25 = 1015$ (kg)이므로 $\boxed{}$개 이상은 실을 수 없다.

① 미지수 세우기
② 부등식 세우기
③ 부등식 풀기
④ 검토하기

02 어떤 자연수의 3배에 4 더한 것은 그 수의 7배에서 4 뺀 것보다 작다고 할 때, 어떤 자연수 중 가장 작은 수를 구하여라.

풀이 구하는 어떤 자연수를 x라고 하면 3배에서 4를 더한 수는 그 수의 7배에서 4를 뺀 것보다
작으므로 $\boxed{}+4<\boxed{}-4$
따라서 $8<\boxed{}$이고, $\boxed{}<x$구하는 가장 작은 수는 $\boxed{}$이다.

[검토]
$(3\times3)+4<(7\times3)-4$이고, $13<17$이므로 문제의 뜻에 맞다.

03 원가가 5000원인 물건을 정가의 40%를 할인하여 팔아서 원가의 20% 이상의 이익을 얻으려고 할 때, 정가는 얼마 이상으로 정하면 되는지 구하여라.

풀이 구하는 정가를 x원이라 하면 (할인하여 판 물건 값 − 원가) ≥ (원가 × 0.2)이므로
$\boxed{}-5000\geq5000\times\boxed{}$
x에 대해 정리하면 $0.6x\geq\boxed{}$
$x\geq10000$이므로 물건을 이상으로 팔면 된다.

원가의 20% 수익을 계산하려면 (원가)$+\left(원가\times\dfrac{20}{100}\right)$으로 계산을 한다.

[검토]
$(0.6\times10000)-5000\geq5000\times0.2$이고
$1000\geq1000$이므로 문제의 뜻에 맞다.

다른 구슬 찾기

1부터 8까지의 번호가 각각 적혀 있는 구슬이 8개 있다. 이 8개의 구슬의 무게를 x_1, x_2, x_3, $\cdots$, x_8이라고 할 때, 7개의 무게는 서로 같고 나머지 한 개의 무게만 다르다고 한다. 각 구슬의 무게 사이에 다음의 두 부등식이 성립한다고 할 때 무게가 다른 구슬을 찾아보자.
$$\begin{cases} x_1+x_2+x_3<x_4+x_5+x_6 \quad\cdots\cdots \ ㉠ \\ x_3+x_4+x_5<x_7+x_8+x_1 \quad\cdots\cdots \ ㉡ \end{cases}$$
① 부등식 ㉠에서 $x_1, x_2, x_3, x_4, x_5, x_6$ 중 무게가 다른 것이 있으므로 x_7, x_8은 무게가 같다. 마찬가지로 부등식 ㉡에서 $x_1, x_3, x_4, x_5, x_7, x_8$ 중 무게가 다른 것이 있다는 조건도 성립해야 한다. 그러므로 x_2, x_6은 무게가 같음을 알 수 있다. 따라서 $x_2=x_6=x_7=x_8$이다.
② 이제 x_1, x_3, x_4, x_5 중에서 무게가 다른 것을 찾아보자. 만약 x_1의 무게가 다르다면 부등식 ㉠에서 x_1은 다른 구슬보다 가볍다는 것을 알 수 있는데, 부등식 ㉡에서는 다른 구슬보다 무겁다는 것을 나타내므로 모순이다. x_4, x_5의 경우도 마찬가지이다. x_4가 다르다고 하면 ㉠에서는 무겁다는 것을, ㉡에서는 가볍다는 것을 나타내므로 모순이다. x_5가 다르다고 하면 ㉠에서는 무겁다는 것을, ㉡에서는 가볍다는 것을 나타내므로 역시 모순이다. 따라서 무게가 다른 것은 x_3이고, 이 구슬은 다른 7개의 구슬보다 가볍다.

어떤 교과서에나 나오는 문제

---

01 중요도 ☐ 손도 못댐 ☐ 과정 실수 ☐ 틀린 이유:

연속하는 세 짝수의 합이 49보다 크고 58보다 작을
때, 세 짝수 중 가장 큰 수는?

① 16   ② 18   ③ 20
④ 22   ⑤ 24

---

02 중요도 ☐ 손도 못댐 ☐ 과정 실수 ☐ 틀린 이유:

연속한 세 홀수의 합이 51보다 크고 63보다 작을 때,
세 홀수 중 가장 작은 수는?

① 15   ② 17   ③ 19
④ 21   ⑤ 23

---

03 중요도 ☐ 손도 못댐 ☐ 과정 실수 ☐ 틀린 이유:

한 봉지에 500원인 과자와 한 개에 1000원인 아이스
크림을 합하여 24개를 사려고 한다. 전체 가격이
18000원을 넘지 않게 할 때, 아이스크림은 최대 몇 개
까지 살 수 있는가?

① 9개   ② 10개   ③ 11개
④ 12개   ⑤ 13개

---

04 중요도 ☐ 손도 못댐 ☐ 과정 실수 ☐ 틀린 이유:

준희의 통장에 5000원이 들어 있다. 매일 600원씩 저
금한다고 할 때, 예금액이 10000원을 넘은 것은 며칠
후 부터인가?

① 8일   ② 9일   ③ 10일
④ 11일   ⑤ 12일

중요도 ☐ 손도 못댐 ☐ 과정 실수 ☐ 틀린 이유:

05 유림이의 지난번 수학 성적은 82점이었다. 수학 성적의 평균이 88점 이상이 되려면 이번에 몇 점 이상을 받아야 하는가?

① 92점　　　② 93점　　　③ 94점
④ 95점　　　⑤ 96점

중요도 ☐ 손도 못댐 ☐ 과정 실수 ☐ 틀린 이유:

06 삼각형의 세 변의 길이가 $(x+2)$ cm, x cm, $(x+10)$ cm일 때, 다음 중 x의 값이 될 수 있는 것은?

① 5　　　② 6　　　③ 7
④ 8　　　⑤ 9

중요도 ☐ 손도 못댐 ☐ 과정 실수 ☐ 틀린 이유:

07 예림이가 고른 책을 하루에 5쪽씩 읽으면 30일 이하가 걸리고, 하루에 8쪽씩 10일 동안 읽으면 69쪽보다 많이 남는다고 한다. 이 책의 쪽수를 구하여라.

중요도 ☐ 손도 못댐 ☐ 과정 실수 ☐ 틀린 이유:

08 한 개에 200원인 사탕과 800원인 초콜릿을 합하여 12개를 사서 1개에 2000원인 상자에 담아 포장하려고 한다. 총 비용이 4800원 초과 6000원 이하가 되도록 할 때, 사탕은 최대 몇 개 살 수 있는지 구하여라.

시험에 꼭 나오는 문제

01 중요도 ☐ 손도 못댐 ☐ 과정 실수 ☐ 틀린 이유:

연속하는 두 짝수의 합이 20보다 크고 24보다 작을 때, 두 짝수 중 작은 수는?

① 8   ② 10   ③ 12
④ 14   ⑤ 16

02 중요도 ☐ 손도 못댐 ☐ 과정 실수 ☐ 틀린 이유:

연속한 세 자연수의 합이 51보다 작다고 한다. 이와 같은 수 중에서 가장 큰 세 자연수를 구하여라.

03 중요도 ☐ 손도 못댐 ☐ 과정 실수 ☐ 틀린 이유:

집 앞 문구점에서 1000원인 공책을 인터넷 쇼핑몰에서 700원에 살 수 있다. 인터넷 쇼핑몰에서 구입하면 배송비가 2500원일 때, 인터넷 쇼핑몰에서 구입하는 것이 유리한 경우는 몇 권 이상의 공책을 살 때인가?

① 8권   ② 9권   ③ 10권
④ 11권   ⑤ 12권

04 중요도 ☐ 손도 못댐 ☐ 과정 실수 ☐ 틀린 이유:

현재 민서와 재희의 저축액은 각각 40000원, 60000원이다. 앞으로 매달 민서와 재희가 각각 6000원, 3000원씩 저축한다면 몇 개월 후부터 민서의 저축액이 재희의 저축액보다 많아지는지 구하여라.

중요도 ☐ 손도 못댐 ☐ 과정 실수 ☐ 틀린 이유:

05 16 km 떨어진 길을 시속 4 km로 걸어가다가 자전거를 타고 시속 10 km로 이동하였더니 2시간 이내에 도착하였다. 이때, 자전거를 탄 최소 거리를 구하여라.

중요도 ☐ 손도 못댐 ☐ 과정 실수 ☐ 틀린 이유:

06 한 번에 600 kg까지 운반할 수 있는 엘리베이터를 이용하여 몸무게의 합이 120 kg인 두 사람이 한 개에 50 kg인 물건을 운반하려고 할 때, 한 번에 몇 개까지 운반이 가능한가?

① 7개   ② 8개   ③ 9개
④ 10개   ⑤ 11개

중요도 ☐ 손도 못댐 ☐ 과정 실수 ☐ 틀린 이유:

07 어느 동물원 입장료는 한 사람당 2000원이고, 30명 이상의 단체인 경우에는 한 사람당 입장료를 10 %를 할인하여 준다고 한다. 이때 30명 미만인 단체는 몇 명 이상이면 30명의 단체 입장권을 사는 것이 유리한가?

① 25명   ② 26명   ③ 27명
④ 28명   ⑤ 29명

중요도 ☐ 손도 못댐 ☐ 과정 실수 ☐ 틀린 이유:

08 반지름의 길이가 6 cm인 원을 밑면으로 하는 원뿔의 부피가 60π cm^3 이상 108π cm^3 이하일 때, 이 원뿔의 높이의 범위를 구하여라.

시험에 꼭 나오는 문제

09 어느 의류 회사에서는 제품 원가에 40 %의 이익을 붙여서 정가를 정하였다. 이 제품을 손해를 보지 않는 한도로 정가에서 x % 할인하여 판매할 때, x의 값의 범위를 구하여라.

10 편의점에서 한 개에 1000원인 라면을 대형마트에서는 10% 할인한 금액에 판매되고 있다. 대형마트에 다녀오는 교통비가 1500원이라고 할 때, 라면을 최소한 몇 개 이상 사는 경우에 대형마트에서 사는 것이 유리한지 구하여라.

11 어느 찜질방에서 매달 회비 100000원을 내고 회원에 가입하면 무제한으로 찜질방을 이용할 수 있고, 회원이 아닌 경우 입장료를 9000원씩 받는다고 한다. 회원으로 가입하는 것이 유리하려면 한 달에 몇 번 이상 찜질방에 가야하는지 구하여라.

12 현재 아버지의 나이는 41살이고, 승연이의 나이는 9살이다. 아버지의 나이가 승연이의 나이의 3배 이하가 되는 것은 몇 년 후부터인지 구하여라.

중요도 ☐ 손도 못댐 ☐ 과정 실수 ☐ 틀린 이유:

13 어떤 홀수를 5배하여 11을 빼면 이 수의 2배보다 크지 않다. 이를 만족시키는 홀수 중에서 가장 큰 수를 구하여라.

중요도 ☐ 손도 못댐 ☐ 과정 실수 ☐ 틀린 이유:

14 기차가 출발하기 전까지 1시간의 여유가 있어 이 시간 동안 가까운 상점까지 시속 3 km로 걸어가서 물건을 사오려고 한다. 물건을 사는데 20분의 시간이 걸린다면 역에서 몇 km 이내에 있는 상점까지 다녀올 수 있는지 구하여라.

중요도 ☐ 손도 못댐 ☐ 과정 실수 ☐ 틀린 이유:

15 소아는 중간고사에서 국어 75점, 영어 80점, 과학 96점을 받았다. 네 과목의 평균이 85점 이상이 되려면 수학 시험에서 몇 점 이상을 받아야 하는지 구하여라.

중요도 ☐ 손도 못댐 ☐ 과정 실수 ☐ 틀린 이유:

16 밑변의 길이가 x cm이고 높이가 6 cm인 삼각형이 있다. 이 삼각형의 넓이가 60 cm^2 이하일 때 의 x의 범위를 구하여라. (단, $x > 0$)

01 중요도 ☐ 손도 못댐 ☐ 과정 실수 ☐ 틀린 이유:

다음 보기에서 일차부등식인 것을 모두 고른 것은?

보기

> ㄱ. $3+x>-2$ ㄴ. $x-5<x-3$
> ㄷ. $2x+5$ ㄹ. $3x+1\geq x-7$
> ㅁ. $x^2+1\leq 2+x^2$ ㅂ. $4x-2=6$

① ㄱ, ㄹ   ② ㄱ, ㅁ   ③ ㄴ, ㄷ
④ ㄴ, ㄹ   ⑤ ㄷ, ㅁ

02 중요도 ☐ 손도 못댐 ☐ 과정 실수 ☐ 틀린 이유:

나음 중 〔 〕 안의 수가 주어진 부등식의 해가 <u>아닌</u> 것은?

① $5x-1\leq 4$ 〔0〕
② $x+3<7$ 〔1〕
③ $3x<x+2$ 〔-1〕
④ $-x\geq 2x$ 〔2〕
⑤ $\dfrac{x-1}{4}-\dfrac{x}{2}<1$ 〔1〕

03 중요도 ☐ 손도 못댐 ☐ 과정 실수 ☐ 틀린 이유:

x가 5 이하의 자연수일 때, 다음 부등식 중 해가 <u>없는</u> 것은?

① $2x<6$ ② $x-1>5$ ③ $3-x>1$
④ $\dfrac{x}{3}<6$ ⑤ $x+1>5-x$

04 중요도 ☐ 손도 못댐 ☐ 과정 실수 ☐ 틀린 이유:

x가 절댓값이 4 이하인 정수일 때, 부등식 $2(1-x)>-x$의 해의 개수는?

① 5   ② 6   ③ 7
④ 8   ⑤ 9

05 중요도 ☐ 손도 못댐 ☐ 과정 실수 ☐ 틀린 이유:

$-3a-4<-3b-4$일 때, 다음 중 옳은 것은?

① $-3a>-3b$ ② $a<b$
③ $5a-3>5b-3$ ④ $\dfrac{a}{4}<\dfrac{b}{4}$
⑤ $3-\dfrac{a}{2}>3-\dfrac{b}{2}$

06 중요도 ☐ 손도 못댐 ☐ 과정 실수 ☐ 틀린 이유:

$-2\leq x<1$일 때, $3x-2$의 값의 범위에 있는 수 중 가장 큰 정수는?

① -2 ② -1 ③ 0
④ 1 ⑤ 2

07 중요도 ☐ 손도 못댐 ☐ 과정 실수 ☐ 틀린 이유:

다음 부등식 중 해가 나머지 넷과 다른 하나는?

① $2x+1<x-2$ ② $x+6<-x$

③ $2x-1>x+2$ ④ $x-2>3x+4$

⑤ $-x-3>2x+6$

10 중요도 ☐ 손도 못댐 ☐ 과정 실수 ☐ 틀린 이유:

$a<0$일 때, 일차부등식 $ax-a>-3a$의 해는?

① $x<-3$ ② $x<-2$ ③ $x>-1$

④ $x>-2$ ⑤ $x>-3$

08 중요도 ☐ 손도 못댐 ☐ 과정 실수 ☐ 틀린 이유:

다음 부등식 중 해를 수직선 위에 나타내었을 때, 오른쪽 그림과 같은 것은?

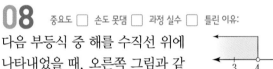

① $0.4(x+6)>4$

② $2(3-x)\leq x-3$

③ $\dfrac{x}{2}-1<\dfrac{x}{3}$

④ $\dfrac{1}{2}x+1<\dfrac{1}{2}\left(4+\dfrac{1}{2}x\right)$

⑤ $0.6x+2\leq x-0.4$

11 중요도 ☐ 손도 못댐 ☐ 과정 실수 ☐ 틀린 이유:

부등식 $\dfrac{5-2x}{3}\leq a-\dfrac{x}{2}$의 해 중 가장 작은 수가 2일 때, 상수 a의 값은?

① $\dfrac{1}{3}$ ② $\dfrac{2}{3}$ ③ 1

④ $\dfrac{4}{3}$ ⑤ $\dfrac{5}{3}$

09 중요도 ☐ 손도 못댐 ☐ 과정 실수 ☐ 틀린 이유:

일차부등식 $a-3x\geq-x$를 만족하는 자연수 x의 개수가 2개일 때, 상수 a의 값의 범위는?

① $a>4$ ② $4<a<6$ ③ $4\leq a<6$

④ $4<a\leq6$ ⑤ $4\leq a\leq6$

12 중요도 ☐ 손도 못댐 ☐ 과정 실수 ☐ 틀린 이유:

다음 두 일차부등식의 해가 같을 때, 상수 a의 값을 구하여라.

$$x-4<8,\ x-a>2x+3$$

13 중요도 ☐ 손도 못댐 ☐ 과정 실수 ☐ 틀린 이유:

x에 대한 일차부등식 $\dfrac{3x+10}{7} \le a$의 해 중 가장 큰 수가 6일 때, 상수 a의 값을 구하여라.

14 중요도 ☐ 손도 못댐 ☐ 과정 실수 ☐ 틀린 이유:

다음 x에 대한 두 일차부등식의 해가 서로 같을 때, 상수 a의 값을 구하여라.

$$x-5 < 4x+4, \quad 5x-a > 3(x-1)+2$$

15 중요도 ☐ 손도 못댐 ☐ 과정 실수 ☐ 틀린 이유:

어느 도서 대여점의 소설책 한 권의 대여료는 2000원이다. 소설책의 대여 기간은 3일이고 3일이 지난 후에는 연체료를 하루에 400원씩 내야 한다. 어떤 소설책의 정가가 11000원일 때, 소설책의 대여료가 책값보다 적으려면 소설책을 최대 며칠 동안 대여할 수 있는지 구하여라.

16 중요도 ☐ 손도 못댐 ☐ 과정 실수 ☐ 틀린 이유:

버스가 역을 출발하기 전까지 1시간의 여유가 있어서 이 시간 동안 가까운 상점에 가서 물건을 사오려고 한다. 물건을 사는데 5분이 걸리고, 시속 6 km로 걸을 때, 역에서 몇 km 이내에 있는 상점을 이용할 수 있는가?

① $\dfrac{7}{4}$ km 이내   ② 2 km 이내   ③ $\dfrac{9}{4}$ km 이내

④ $\dfrac{5}{2}$ km 이내   ⑤ $\dfrac{11}{4}$ km 이내

17 중요노 ☐ 손도 못댐 ☐ 과정 실수 ☐ 틀린 이유:

재희는 인터넷 쇼핑몰에서 샤프와 볼펜을 합하여 14자루를 사려고 한다. 샤프 한 자루의 가격은 1000원, 볼펜 한 자루의 가격은 800원이고, 배송료가 2500원일 때, 총 가격이 15000원 이하가 되게 하려면 샤프는 최대 몇 자루까지 살 수 있는가?

① 6자루   ② 7자루   ③ 8자루
④ 9자루   ⑤ 10자루

18 중요도 ☐ 손도 못댐 ☐ 과정 실수 ☐ 틀린 이유:

내각의 크기의 총합이 900°보다 크고 1100°보다 작은 정다각형의 한 내각의 크기는?

① 108°   ② 120°   ③ 130°
④ 135°   ⑤ 140°

19 중요도 ☐ 손도 못댐 ☐ 과정 실수 ☐ 틀린 이유:

일차부등식 $\dfrac{1}{4}x + \dfrac{3}{2} > -\dfrac{1}{2}x$를 만족하는 가장 작은 정수를 구하여라.

22 중요도 ☐ 손도 못댐 ☐ 과정 실수 ☐ 틀린 이유:

6 %의 소금물 200 g이 있다. 이 소금물에서 물을 증발시켜 농도가 10 % 이상이 되게 하려고 할 때, 최소 몇 g의 물을 증발시켜야 하는지 구하여라.

20 서술형 중요도 ☐ 손도 못댐 ☐ 과정 실수 ☐ 틀린 이유:

한 개에 600원인 연필과 한 개에 400원인 지우개를 합하여 10개를 사는데 전체 금액이 5000원 미만이 되게 하려고 한다. 연필을 최대 몇 개까지 살 수 있는지 구하여라.

23 서술형 중요도 ☐ 손도 못댐 ☐ 과정 실수 ☐ 틀린 이유:

삼각형의 세 변의 길이가 각각 $4-x$, $x+2$, $2x+5$일 때, x의 값의 범위를 구하여라. (단, $x>0$)

21 중요도 ☐ 손도 못댐 ☐ 과정 실수 ☐ 틀린 이유:

동네 문구점에서 한 권에 1500원인 공책이 할인매장에서는 1200원에 판매되고 있다. 할인매장에 다녀오는 교통비가 2000원이라고 할 때, 공책을 최소한 몇 권 이상 사는 경우에 할인매장에서 사는 것이 유리한지 구하여라.

24 중요도 ☐ 손도 못댐 ☐ 과정 실수 ☐ 틀린 이유:

어느 고궁의 입장료는 한 사람당 800원이고, 40명 이상의 단체인 경우에는 한 사람당 200원을 할인해 준다고 한다. 몇 명 이상이면 단체 입장권을 사는 것이 유리한지 구하여라.

08 연립일차방정식

 기본 체크

01
다음에서 미지수가 2개인 일차방정식을 모두 찾아라.

(1) $2x+6y-9=0$

(2) $5y=8$

(3) $x+3y=x-5$

(4) $y=-5x-2$

02
x, y가 자연수일 때, 방정식 $3x+y=14$의 해를 구하기 위한 다음 표를 완성하여라.

x	1	2	3	4
y				

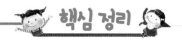 **핵심 정리**

❋ 미지수가 2개인 일차방정식
> 미지수의 값에 따라 참이 되기도 하고, 거짓이 되기도 하는 등식을 그 미지수에 대한 방정식이라 한다.

① 미지수가 2개이고, 그 차수가 모두 1인 방정식

② 두 미지수 x, y에 대한 일차방정식은 다음과 같다.
$ax+by+c=0$ (a, b, c는 상수, $a \neq 0$, $b \neq 0$)

❋ 미지수가 2개인 일차방정식의 해
두 미지수 x, y에 대한 일차방정식을 만족하는 x, y의 값 또는 그 순서쌍 (x, y)

❋ 미지수가 2개인 연립일차방정식
> 간단히 연립방정식이라고도 한다.

미지수가 2개인 일차방정식 2개를 한 쌍으로 묶어 놓은 것

예 미지수가 2개인 연립일차방정식
$$\begin{cases} x+3y=2 \\ x-y=1 \end{cases} \quad \begin{cases} 2x+y=1 \\ 3x-y=2 \end{cases}$$

❋ 연립방정식의 해
> 연립방정식의 해를 구하는 것을 연립방정식을 푼다고 한다.

x, y에 대한 두 일차방정식을 만족하는 x, y의 값 또는 그 순서쌍 (x, y)

 **대표예제**

• 정답 및 풀이 19쪽

01 x, y가 자연수일 때, 일차방정식 $x+2y=6$을 풀어라.

풀이 x, y가 자연수이므로 주어진 식의 x에 1, 2, 3, 4, 5, …를 차례로 대입하여 y의 값을 구하면 다음 표와 같다.

x	1	2	3	4	5	6	…
y	$\frac{5}{2}$	□	$\frac{3}{2}$	□	$\frac{1}{2}$	0	…

이때 y의 값도 자연수이므로 일차방정식의 해는 $(2, \square)$, $(4, \square)$이다.

> y의 값을 구할 때 $y=($x$에 대한 식)으로 변형하여 x의 값을 대입하면 편리하다.

02 일차방정식 $2x+ay=8$의 해가 $(-1, 2)$일 때, 상수 a의 값을 구하여라.

풀이 $x=\boxed{}$, $y=\boxed{}$를 $2x+ay=8$에 대입하면

$2\times(\boxed{})+a\times\boxed{}=8$, $2a=\boxed{}$

$\therefore a=\boxed{}$

방정식의 해를 방정식에 대입하면 등호가 성립한다.

03 순서쌍 $(3, a)$, $(b, -1)$이 일차방정식 $x+y=4$의 해일 때, 상수 a, b의 값을 각각 구하여라.

풀이 $(3, a)$를 $x+y=4$에 대입하면 $\boxed{}+a=4$

$\therefore a=\boxed{}$

$(b, -1)$을 $x+y=4$에 대입하면 $b-\boxed{}=4$

$\therefore b=\boxed{}$

어떤 일차방정식의 해는 일차방정식이 그 점을 지나간다는 뜻이다.

04 x, y의 값이 자연수일 때, 연립방정식 $\begin{cases} 2x+y=10 & \cdots\cdots ① \\ x+y=6 & \cdots\cdots ② \end{cases}$ 을 풀어라.

풀이 두 일차방정식의 해를 각각 구하면 다음과 같다.

①
x	1	2	3	4
y	8	$\boxed{}$	4	$\boxed{}$

②
x	1	2	3	4	5
y	5	$\boxed{}$	3	$\boxed{}$	1

따라서 구하는 연립방정식의 해는 위의 표에서 ①과 ②의 공통인 해 $x=\boxed{}$, $y=\boxed{}$이다.

연립방정식은 두 식을 동시에 만족하는 값을 구하는 것이다.

🤖 **미지수가 2개인 일차방정식과 일차함수**

미지수가 2개인 일차방정식의 해는 보통 x, y의 값 또는 순서쌍 (x, y)로 나타내는데 x, y의 값의 범위에 따라 해가 되는 순서쌍을 좌표평면 위에 점 또는 선으로 나타내기도 한다. 미지수가 2개인 일차방정식의 해를 좌표평면 위에 나타내는 것에 대해서는 일차함수 단원에서 배운다.

어떤 교과서에나 나오는 문제

01 다음 중 미지수가 2개인 일차방정식을 모두 고르면?

(정답 2개)

① $x-3y+5=0$　　② $x+y$

③ $5x=20$　　④ $x^2=y$

⑤ $7x-2y=3$

02 다음 중 일차방정식 $x+2y=9$의 해가 <u>아닌</u> 것은?

① $(-3,\ -6)$　　② $(-1,\ 5)$

③ $(1,\ 4)$　　④ $(3,\ 3)$

⑤ $(5,\ 2)$

03 $x,\ y$가 자연수일 때, 일차방정식 $4x+y=13$의 해의 개수는?

① 1　　② 2　　③ 3

④ 4　　⑤ 5

04 일차방정식 $x-3y+4=0$의 한 해가 $(k,\ 2)$일 때, 상수 k의 값은?

① -2　　② -1　　③ 2

④ 3　　⑤ 4

05 일차방정식 $2x-y+6=a$의 한 해가 $(a,\ 3a)$일 때, 상수 a의 값을 구하여라.

중요도 ☐   손도 못댐 ☐   과정 실수 ☐   틀린 이유:

06 일차방정식 $x+ay=7$의 한 해가 $(1,\ 2)$라고 한다. $y=1$일 때, x의 값은?

중요도 ☐   손도 못댐 ☐   과정 실수 ☐   틀린 이유:

① 3   ② 4   ③ 5
④ 6   ⑤ 7

07 다음 보기 중에서 미지수가 2개인 연립일차방정식을 모두 골라라.

중요도 ☐   손도 못댐 ☐   과정 실수 ☐   틀린 이유:

ㄱ. $\begin{cases} x+y=5 \\ 3x-y=3 \end{cases}$ ㄴ. $\begin{cases} 2x+y=1 \\ x^2+y^2=2 \end{cases}$

ㄷ. $\begin{cases} x+2y=3 \\ y=x-6 \end{cases}$ ㄹ. $\begin{cases} 3x+6>0 \\ x-y=0 \end{cases}$

08 연립방정식 $\begin{cases} x+ay=-4 \\ bx-y=0 \end{cases}$의 해가 $(2,\ 6)$일 때, 상수 a, b에 대하여 $a+b$의 값은?

중요도 ☐   손도 못댐 ☐   과정 실수 ☐   틀린 이유:

① -4 ② -2 ③ 1
④ 2   ⑤ 4

시험에 꼭 나오는 문제

중요도 ☐ 손도 못댐 ☐ 과정 실수 ☐ 틀린 이유:

01 다음 중 두 미지수 x, y에 대한 일차방정식은?

① $x(x+3)=y$ 　② $xy+x-y=0$
③ $3y=2x+5$ 　④ $y^2=x$
⑤ $3(x-y)=3x-8$

중요도 ☐ 손도 못댐 ☐ 과정 실수 ☐ 틀린 이유:

02 다음 문장을 미지수가 2개인 일차방정식으로 나타내면?

> 한 문항당 배점이 4점인 문제를 x개, 5점인 문제를 y개 맞혔을 때, 얻은 점수는 87점이다.

① $4x+5y=87$ 　② $4x-5y=87$
③ $5x+4y=87$ 　④ $5x-4y=87$
⑤ $\dfrac{x}{4}+\dfrac{y}{5}=87$

중요도 ☐ 손도 못댐 ☐ 과정 실수 ☐ 틀린 이유:

03 다음 중 $ax-3y=7x+2y-1$이 미지수가 2개인 일차방정식이 되기 위한 상수 a의 값으로 적당하지 <u>않은</u> 것은?

① -7 　② -2 　③ 1
④ 3 　⑤ 7

중요도 ☐ 손도 못댐 ☐ 과정 실수 ☐ 틀린 이유:

04 다음 중 일차방정식 $2x-y=5$의 해를 모두 고르면?
(정답 2개)

① $(-2,\ 1)$ 　② $(-1,\ -7)$
③ $(0,\ 5)$ 　④ $(1,\ 3)$
⑤ $(2,\ -1)$

05 다음 일차방정식 중에서 순서쌍 $(1, 2)$를 해로 갖는 것은?

중요도 ☐ 손도 못댐 ☐ 과정 실수 ☐ 틀린 이유:

① $x-2y=0$
② $-x+y=-1$
③ $2x-y=0$
④ $x-y-1=0$
⑤ $2y=x+2$

06 일차방정식 $x+y=5$에 대한 설명으로 옳지 <u>않은</u> 것은?

중요도 ☐ 손도 못댐 ☐ 과정 실수 ☐ 틀린 이유:

① 미지수가 2개인 일차방정식이다.
② $(3, 2)$를 해로 갖는다.
③ x의 값이 1일 때, y의 값은 4이다.
④ y의 값이 -1일 때, x의 값은 4이다.
⑤ x, y가 자연수일 때, 해는 모두 4개이다.

07 x, y가 소수일 때, 방정식 $x+3y=22$의 해의 개수는?

중요도 ☐ 손도 못댐 ☐ 과정 실수 ☐ 틀린 이유:

① 1
② 2
③ 3
④ 4
⑤ 5

08 일차방정식 $3x-4y-8=0$의 한 해가 $(a-3, 1-a)$일 때, 상수 a의 값은?

중요도 ☐ 손도 못댐 ☐ 과정 실수 ☐ 틀린 이유:

① 1
② 2
③ 3
④ 4
⑤ 5

09 x, y에 대한 일차방정식 $ax+4y=-6$의 한 해가 $(-2, 1)$이다. $y=6$일 때, x의 값은?

① -12 ② -6 ③ -3

④ 2 ⑤ 5

10 $(a, 6)$, $(-4, b)$가 일차방정식 $2x-ay=-4$의 해일 때, ab의 값은?

① -8 ② -4 ③ -1

④ 4 ⑤ 8

11 $(-3, -2)$, $\left(a, \dfrac{2}{3}a\right)$가 일차방정식 $5x-by=3$의

해일 때, 상수 a, b에 대하여 $\dfrac{b}{a}$의 값은?

① -3 ② -2 ③ -1

④ 2 ⑤ 3

12 다음 연립방정식 중 $x=2$, $y=-1$을 해로 갖는 것은?

① $\begin{cases} x+y=1 \\ 4x+y=-2 \end{cases}$ ② $\begin{cases} x-y=3 \\ x+2y=0 \end{cases}$

③ $\begin{cases} 2x+y=3 \\ y=2x \end{cases}$ ④ $\begin{cases} x=y+1 \\ y=-\dfrac{1}{2}x \end{cases}$

⑤ $\begin{cases} x+2y=0 \\ x=2y-2 \end{cases}$

• 정답 및 풀이 19쪽

중요도 ☐ 손도 못댐 ☐ 과정 실수 ☐ 틀린 이유:

13 다음 중 연립일차방정식 $\begin{cases} x-y=6 \\ 2x+y=3 \end{cases}$ 의 해는?

① $(1, 3)$　　② $(2, -4)$　　③ $(3, -3)$
④ $(4, -2)$　　⑤ $(5, -5)$

중요도 ☐ 손도 못댐 ☐ 과정 실수 ☐ 틀린 이유:

14 연립방정식 $\begin{cases} 3x+y=13 \\ 2x-y=k \end{cases}$ 를 만족하는 x의 값이 3

일 때, 상수 k의 값은?

① 1　　　　② 2　　　　③ 3
④ 4　　　　⑤ 5

중요도 ☐ 손도 못댐 ☐ 과정 실수 ☐ 틀린 이유:

15 연립방정식 $\begin{cases} x-ay=5 \\ bx+y=4 \end{cases}$ 의 해가 $(3, -2)$일 때, 상

수 a, b에 대하여 $a+b$의 값은?

① 1　　　　② 2　　　　③ 3
④ 4　　　　⑤ 5

중요도 ☐ 손도 못댐 ☐ 과정 실수 ☐ 틀린 이유:

16 연립방정식 $\begin{cases} 2x+5y=7 \\ x-by=-10 \end{cases}$ 의 해가 $(a, 3)$일 때,

상수 a, b에 대하여 ab의 값은?

① -12　　② -8　　③ -4
④ 4　　　　⑤ 8

09 연립방정식의 풀이

학습목표 • 미지수가 2개인 연립일차방정식을 풀 수 있다.

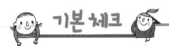

[01~03] x, y가 자연수일 때, 연립방정식 $\begin{cases} x+y=4 \\ 2x+y=7 \end{cases}$ 에 대하여 다음 표를 완성하고, 연립방정식의 해를 구하여라.

01
$x+y=4$의 해

x	1	2	3
y			

02
$2x+y=7$의 해

x	1	2	3
y			

03
연립방정식의 해

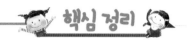

연립방정식의 풀이

소거하려는 미지수의 계수의 절댓값이 같고, 그 부호가 다르면 변끼리 더한다.

① 합과 차를 이용하는 방법(가감법) : 연립방정식에서 두 방정식을 변끼리 더하거나 빼어서 한 미지수를 소거하여 푼다.
② 대입하여 푸는 방법(대입법) : 연립방정식에서 한 방정식을 다른 방정식에 대입하여 한 미지수를 소거하여 푼다.

먼저 한 방정식을 변형하여 한 미지수를 다른 미지수에 대한 식으로 나타내어야 하는 경우도 있다.

여러 가지 연립방정식의 풀이

① 괄호가 있는 연립방정식 : 분배법칙을 이용하여 괄호를 풀고 동류항을 정리한 후 연립방정식을 푼다.
② 계수에 소수 또는 분수가 있는 연립방정식: 양변에 10의 거듭제곱을 곱하거나 분모의 최소공배수를 곱하여 계수를 정수로 바꾼 후 연립방정식을 푼다.
③ $A=B=C$ 꼴의 연립방정식 : 다음 세 연립방정식과 그 해가 모두 같으므로 세 가지 중 가장 간단한 것을 선택하여 푼다.

$$\begin{cases} A=B \\ A=C \end{cases} \quad \begin{cases} A=B \\ B=C \end{cases} \quad \begin{cases} A=C \\ B=C \end{cases}$$

특수한 해를 가지는 연립방정식

$\begin{cases} ax+by+c=0 \\ a'x+b'y+c'=0 \end{cases}$ 일 때,

① $\dfrac{a}{a'}=\dfrac{b}{b'}=\dfrac{c}{c'}$ 이면 해가 무수히 많다.

② $\dfrac{a}{a'}=\dfrac{b}{b'}\neq\dfrac{c}{c'}$ 이면 해가 없다.

대표예제

• 정답 및 풀이 21쪽

01 연립방정식 $\begin{cases} 2x+y=8 & \cdots\cdots ① \\ 3x-2y=-2 & \cdots\cdots ② \end{cases}$ 를 풀어라.

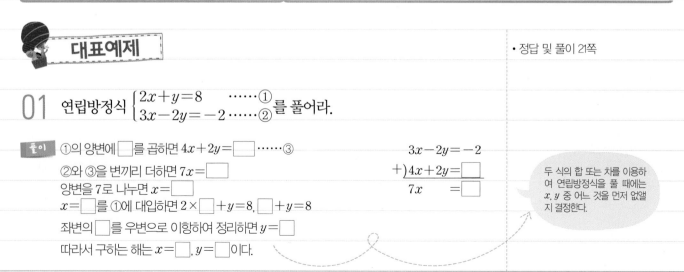

풀이 ①의 양변에 ☐를 곱하면 $4x+2y=$☐ $\cdots\cdots$③

②와 ③을 변끼리 더하면 $7x=$☐

양변을 7로 나누면 $x=$☐

$x=$☐를 ①에 대입하면 $2\times$☐$+y=8$, ☐$+y=8$

좌변의 ☐를 우변으로 이항하여 정리하면 $y=$☐

따라서 구하는 해는 $x=$☐, $y=$☐이다.

$3x-2y=-2$
$+)\underline{4x+2y=\square}$
$7x\quad=\square$

두 식의 합 또는 차를 이용하여 연립방정식을 풀 때에는 x, y 중 어느 것을 먼저 없앨지 결정한다.

02 다음 연립방정식을 풀어라.

(1) $\begin{cases} y=x+2 & \cdots\cdots ① \\ x+2y=16 & \cdots\cdots ② \end{cases}$ (2) $\begin{cases} 2x+y=4 & \cdots\cdots ① \\ x-2y=7 & \cdots\cdots ② \end{cases}$

풀이 (1) ①을 ②에 대입하면

$x+2(\boxed{})=16$

$x+2x+\boxed{}=16$

$3x=\boxed{}$ $\therefore x=\boxed{}$

$x=\boxed{}$ 를 ①에 대입하면 $y=\boxed{}$

따라서 구하는 해는 $x=\boxed{}$, $y=\boxed{}$ 이다.

$y=\boxed{x+2}$
↓ 대입
$x+2y=16$
↓
$x+2(\boxed{x+2})=16$

(2) ①을 변형하여 y를 x의 식으로 나타내면

$y=\boxed{}$ $\cdots\cdots ③$

③을 ②에 대입하면 $x-2(\boxed{})=7$

$5x=\boxed{}$ $\therefore x=\boxed{}$

$x=3$을 ③에 대입하면

$y=4-2\times\boxed{}=\boxed{}$

따라서 구하는 해는 $x=\boxed{}$, $y=\boxed{}$ 이다.

> 두 방정식 중 어느 한 방정식 이 $x=(y$에 대한 식) 또는 $y=(x$에 대한 식)으로 정리 하기 편리할 때, 대입법을 이 용하면 쉽게 풀 수 있다.

03 연립방정식 $\begin{cases} 0.2x+0.1y=0.8 & \cdots\cdots ① \\ \dfrac{1}{3}x+\dfrac{1}{2}y=2 & \cdots\cdots ② \end{cases}$ 를 풀어라.

풀이 ①의 양변에 10을 곱하면

$\boxed{}$ $\cdots\cdots ③$

②의 양변에 분모의 최소공배수 6을 곱하면

$\boxed{}$ $\cdots\cdots ④$

③에서 ④를 빼면

$-2y=\boxed{}$ $\therefore y=\boxed{}$

$y=\boxed{}$ 를 ③에 대입하면

$2x+2=\boxed{}$, $2x=\boxed{}$

$\therefore x=\boxed{}$

따라서 구하는 해는 $x=\boxed{}$, $y=\boxed{}$ 이다.

$\begin{array}{r} 2x+\ y=\boxed{} \\ -)\ 2x+3y=\boxed{} \\ \hline -2y=\boxed{} \end{array}$

> 계수가 소수나 분수인 연립 방정식을 풀 때에는 각각의 방정식의 양변에 적당한 수 를 곱하여 계수를 정수로 고 쳐서 풀면 편리하다.

가감법과 대입법

연립일차방정식의 해를 구할 때에는 가감법, 대입법 중에서 어느 방법으로 계산하더라도 결과는 같으나, 연립일차방정식의 모양과 계수에 따라 적절한 방법을 이용하는 것이 편리하다.

(1) 가감법: 연립일차방정식의 두 방정식이 $ax+by=c$ 꼴이고, x 또는 y의 계수의 절댓값이 같거나 적당한 수를 곱하여 절댓값을 같게 만들 수 있을 때

(2) 대입법: 연립일차방정식의 두 방정식 중에서 어느 한 방정식이 $x=(y$에 관한 식) 또는 $y=(x$에 관한 식)의 꼴일 때

09 연립방정식의 풀이

어떤 교과서에나 나오는 문제

중요도 ☐ 손도 못댐 ☐ 과정 실수 ☐ 틀린 이유:

01 연립방정식 $\begin{cases} x-3y=2 & \cdots\cdots \text{㉠} \\ 2x+y=11 & \cdots\cdots \text{㉡} \end{cases}$ 을 y항을 소거

하여 풀려고 할 때, 다음 중 필요한 식은?

① ㉠×2−㉡　　　　　② ㉠×3+㉡
③ ㉠−㉡×2　　　　　④ ㉠+㉡×3
⑤ ㉠−㉡×3

중요도 ☐ 손도 못댐 ☐ 과정 실수 ☐ 틀린 이유:

02 연립방정식 $\begin{cases} y=3x-1 & \cdots\cdots \text{㉠} \\ x+2y=12 & \cdots\cdots \text{㉡} \end{cases}$ 를 풀기 위해

㉠을 ㉡에 대입하여 y항을 소거하였더니 $ax=14$가
되었디. 이때 a의 값은?

① 3　　　　　② 4　　　　　③ 5
④ 6　　　　　⑤ 7

중요도 ☐ 손도 못댐 ☐ 과정 실수 ☐ 틀린 이유:

03 연립방정식 $\begin{cases} y=-x+3 \\ 3x+y=11 \end{cases}$ 을 풀면?

① $x=1$, $y=2$　　　　② $x=1$, $y=4$
③ $x=2$, $y=1$　　　　④ $x=2$, $y=5$
⑤ $x=4$, $y=-1$

중요도 ☐ 손도 못댐 ☐ 과정 실수 ☐ 틀린 이유:

04 연립방정식 $\begin{cases} 4x+y=-3 \\ y=2x+3 \end{cases}$ 을 풀어라.

중요도 ☐   손도 못댐 ☐   과정 실수 ☐   틀린 이유:

05 연립방정식 $\begin{cases} x-3y=10 \\ 2x-ay=4 \end{cases}$ 를 만족하는 y의 값이

x의 값의 2배일 때, 상수 a의 값은?

① -2 ② -1 ③ 1
④ 2 ⑤ 4

중요도 ☐   손도 못댐 ☐   과정 실수 ☐   틀린 이유:

06 연립방정식 $\begin{cases} \dfrac{1}{2}x-\dfrac{2}{3}y=\dfrac{3}{2} \\ \dfrac{1}{5}x-\dfrac{1}{10}y=\dfrac{1}{10} \end{cases}$ 의 해가 $(a,\ b)$일

때, $a+b$의 값은?

① -4 ② -3 ③ -2
④ -1 ⑤ 0

중요도 ☐   손도 못댐 ☐   과정 실수 ☐   틀린 이유:

07 연립방정식 $\begin{cases} 0.2x-0.3y=0.1 \\ 0.5x+0.3y=1.3 \end{cases}$ 을 풀면?

① $x=-1,\ y=-1$ ② $x=-1,\ y=1$
③ $x=1,\ y=1$ ④ $x=2,\ y=-1$
⑤ $x=2,\ y=1$

중요도 ☐   손도 못댐 ☐   과정 실수 ☐   틀린 이유:

08 연립방정식 $\begin{cases} \dfrac{1}{2}x+\dfrac{1}{3}y=1 \\ 0.5x+0.4y=2 \end{cases}$ 를 풀어라.

시험에 꼭 나오는 문제

01 연립방정식 $\begin{cases} 3x-4y=-7 & \cdots\cdots\circ{\text{㉠}} \\ 2x+3y=1 & \cdots\cdots\circ{\text{㉡}} \end{cases}$ 을 가감법으

로 풀려고 한다. y항을 소거하여 풀려고 할 때, 다음
중 필요한 식은?

① ㉠×2−㉡×3   ② ㉠×3−㉡×2
③ ㉠×3−㉡×4   ④ ㉠×3+㉡×4
⑤ ㉠×4+㉡×3

02 연립방정식 $\begin{cases} 5x+2y=3 \\ 3x+2y=5 \end{cases}$ 를 풀면?

① $x=-1,\ y=-1$ ② $x=-1,\ y=1$
③ $x=-1,\ y=4$ ④ $x=1,\ y=-1$
⑤ $x=1,\ y=4$

03 연립방정식 $\begin{cases} 3x+2y=10 \\ 2x-5y=-6 \end{cases}$ 의 해가 $x=a,\ y=b$

일 때, ab의 값은?

① 1   ② 2   ③ 3
④ 4   ⑤ 5

04 연립방정식 $\begin{cases} 3x-2y=-2 \\ x-3y=4 \end{cases}$ 의 해가 $(a,\ b)$일 때,

$a+b$의 값은?

① -4 ② -2 ③ -1
④ 2   ⑤ 4

중요도 ☐ 손도 못댐 ☐ 과정 실수 ☐ 틀린 이유:

05 연립방정식 $\begin{cases} 4x-y=3 \\ -2x+3y=a \end{cases}$ 의 해가 $2x+y=9$를

만족할 때, 상수 a의 값은?

① 3   ② 7   ③ 11
④ 15   ⑤ 19

중요도 ☐ 손도 못댐 ☐ 과정 실수 ☐ 틀린 이유:

06 연립방정식 $\begin{cases} ax+by=5 \\ bx-ay=-5 \end{cases}$ 의 해가 $x=2,\ y=1$

일 때, 상수 $a,\ b$에 대하여 $a+b$의 값은?

① -1 ② 0   ③ 1
④ 2   ⑤ 3

중요도 ☐ 손도 못댐 ☐ 과정 실수 ☐ 틀린 이유:

07 연립방정식 $\begin{cases} y=-4x+5 \\ 3x+2y=-5 \end{cases}$ 의 해가 일차방정식

$kx-2y+4=0$을 만족할 때, 상수 k의 값은?

① -9 ② -6 ③ -3
④ 3   ⑤ 6

중요도 ☐ 손도 못댐 ☐ 과정 실수 ☐ 틀린 이유:

08 연립방정식 $\begin{cases} 3(x-2)-2y=-5 \\ 2x-3(y+2)=y+4 \end{cases}$ 의 해가

$(a,\ b)$일 때, ab의 값은?

① -7 ② -5 ③ 3
④ 5   ⑤ 7

시험에 꼭 나오는 문제

09 연립방정식 $\begin{cases} 3(x-y)-2y=-1 \\ 0.6x-0.7y=0.4 \end{cases}$ 을 풀면?

① $x=-7,\ y=4$ ② $x=5,\ y=3$

③ $x=-4,\ y=2$ ④ $x=-2,\ y=1$

⑤ $x=3,\ y=2$

10 연립방정식 $\begin{cases} 3(x-2y)=4x+11 \\ 2x:3y=2:5 \end{cases}$ 의 해가

(a,b)일 때, $a+3b$의 값은?

① -7 ② -6 ③ -5

④ -4 ⑤ -3

11 연립방정식 $\begin{cases} 2x-3(x+y)=2 \\ x-\dfrac{3}{2}(y-1)=4-a \end{cases}$ 를 만족하는

x의 값이 y의 값의 3배일 때, 상수 a의 값은?

① 1 ② 2 ③ 3

④ 4 ⑤ 5

12 연립방정식 $\begin{cases} ax+by=-4 \\ bx+ay=5 \end{cases}$ 를 풀어야 하는데 예림

이는 잘못하여 $a,\ b$를 바꾸어 놓고 풀었더니 $x=-2$, $y=1$이 되었고, 유림이는 제대로 풀었을 때 유림이가
푼 연립방정식의 해는?

① $(-1, 2)$ ② $(1, -2)$ ③ $(1, 2)$

④ $(-2, -1)$ ⑤ $(2, -1)$

13 다음 두 연립방정식의 해가 같을 때, 상수 a, b에 대하여 $b-a$의 값은?

중요도 ☐ 손도 못댐 ☐ 과정 실수 ☐ 틀린 이유:

$$\begin{cases} 5x-3y=2 \\ x+ay=4 \end{cases} \qquad \begin{cases} bx-y=-6 \\ -2x+y=1 \end{cases}$$

① 1 ② 2 ③ 3
④ 4 ⑤ 5

14 연립방정식 $\dfrac{6x+2y}{5}=\dfrac{3x-2y}{4}=2$의 해가 일차방정식 $x+2y=k$를 만족할 때, 상수 k의 값은?

중요도 ☐ 손도 못댐 ☐ 과정 실수 ☐ 틀린 이유:

① -3 ② -1 ③ 0
④ 1 ⑤ 3

15 연립방정식 $4x-3y=3x+y-1=x+2y+4$를 풀면?

중요도 ☐ 손도 못댐 ☐ 과정 실수 ☐ 틀린 이유:

① $(2, -1)$ ② $(2, 1)$ ③ $(3, -1)$
④ $(3, 1)$ ⑤ $(4, 3)$

16 다음 세 일차방정식의 해가 같을 때, 상수 a의 값은?

중요도 ☐ 손도 못댐 ☐ 과정 실수 ☐ 틀린 이유:

$$3x-y=2, \ x+2y=10, \ 5x-ay=-2$$

① -3 ② -1 ③ 1
④ 2 ⑤ 3

10 연립방정식의 활용

학습목표 • 미지수가 2개인 연립방정식을 활용하여 다양한 실생활 문제를 해결할 수 있다.

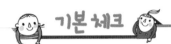 기본 체크

[01~02] 준희네 시골 집에서 닭과 개를 기르고 있었다. 닭과 개를 모두 모아 놓고 머리를 세어 보니 13개, 다리는 32개 였다.

01

닭의 수를 x마리, 개의 수를 y마리라고 할 때, 연립방정식을 세워라.

02

이 연립방정식을 풀어라.

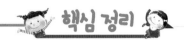 핵심 정리

연립방정식의 활용 문제는 다음과 같은 순서에 따라 해결하면 편리하다.
↪ 수량 사이의 관계를 각각 등식으로 나타내어 연립방정식을 세워서 푼다.

(1) 문제 이해하기
문제의 뜻을 이해하고 구하려는 것을 x, y로 놓는다.

(2) 풀이 계획 세우기
문제에 나오는 수량 사이의 관계를 찾아 연립방정식을 세운다.

(3) 실행하기
연립방정식을 풀어 해를 구한다.

(4) 검토하기
구한 해가 문제의 뜻에 맞는지 확인한다.

대표예제

• 정답 및 풀이 23쪽

01 수학여행을 간 재희는 기념품 판매소에서 한 개에 1000원 하는 효자손과 1500원 하는 조각 인형을 합하여 6개를 사고, 8000원을 지불하였다. 효자손과 조각 인형의 개수를 각각 구하여라.

풀이 효자손의 개수를 x개, 조각 인형의 개수를 y개라고 하면

$$\begin{cases} x+y=\boxed{} & \cdots\cdots ① \\ 1000x+1500y=\boxed{} & \cdots\cdots ② \end{cases}$$

①의 양변에 2를 곱하면 $2x+2y=\boxed{}$ ······ ③

②의 양변을 500으로 나누면 $2x+3y=\boxed{}$ ······ ④

③에서 ④를 변끼리 빼면 $-y=\boxed{}$, 즉 $y=\boxed{}$

$y=\boxed{}$를 ①에 대입하면 $x+4=\boxed{}$, 즉 $x=\boxed{}$

따라서 효자손은 $\boxed{}$개, 조각 인형은 $\boxed{}$개이다.

[검토]

$x=\boxed{}$, $y=\boxed{}$를 ①, ②에 각각 대입하면

$2+\boxed{}=\boxed{}$, $1000\times\boxed{}+1500\times\boxed{}=\boxed{}$이므로 문제의 뜻에 맞다.

> 연립방정식 활용문제의 풀이
> ① 미지수 세우기
> ② 방정식 세우기
> ③ 방정식 풀기
> ④ 확인하기

02 예림이와 남동생의 나이 차는 7살이고 두 사람의 나이의 합이 21살일 때, 예림이와 남동생의 나이를 각각 구하여라.

풀이 예림이의 나이를 x살, 남동생의 나이를 y살이라고 하자.

예림이와 남동생의 나이 차는 7살이므로 $\boxed{}=7$

두 사람의 나이의 합이 21살이므로 $\boxed{}=21$

연립방정식을 세우면 $\begin{cases} \boxed{}=7 & \cdots\cdots ① \\ \boxed{}=21 & \cdots\cdots ② \end{cases}$

①과 ②를 변끼리 더하면 $\boxed{}=28$, 즉 $x=\boxed{}$

$x=\boxed{}$를 ①에 대입하면 $\boxed{}=7$, 즉 $y=\boxed{}$

따라서 예림이의 나이는 $\boxed{}$살이고 남동생의 나이는 $\boxed{}$살이다.

[검토]

예림이의 나이가 $\boxed{}$살이고 남동생의 나이는 $\boxed{}$살이면

$\boxed{}-7=\boxed{}$, $\boxed{}+7=\boxed{}$이므로 문제의 뜻에 맞는다.

03 재희는 총 거리가 7 km인 산의 둘레길을 걷는데 처음에는 시속 4 km로 걷다가 도중에 힘이 들어 남은 거리는 시속 2 km로 걸어 총 2시간 만에 둘레길 걷기를 마쳤다. 시속 4 km로 걸은 거리와 시속 2 km로 걸은 거리를 각각 구하여라.

풀이 시속 4 km로 걸은 거리를 x km, 시속 2 km로 걸은 거리를 y km라고 하자.

총 거리가 7 km이므로 $\boxed{}=7$

총 2시간 만에 둘레길 걷기를 마쳤으므로 $\boxed{}=2$

연립방정식 $\begin{cases} \boxed{}=7 \\ \boxed{}=2 \end{cases}$ 를 풀면 $x=\boxed{}$, $y=\boxed{}$

- (거리) $=$ (속력) $\times$ (시간)
- (속력) $=\dfrac{(거리)}{(시간)}$
- (시간) $=\dfrac{(거리)}{(속력)}$

따라서 시속 4 km로 걸은 거리는 $\boxed{}$ km, 시속 2 km로 걸은 거리는 $\boxed{}$ km이다.

[검토]

$\boxed{}+\boxed{}=7$, $\dfrac{6}{4}+\boxed{}=2$이므로 문제의 뜻에 맞는다.

활용 문제에서 검토하기가 중요한 이유

활용 문제로부터 연립일차방정식을 세워 그 해를 구하였을 때, 그 해가 반드시 문제의 해라는 보장을 할 수 없다. 예를 들어 '두 자연수 x, y의 합은 25이고, x의 3배는 y보다 4가 클 때, x, y를 구하여라.' 라는 문제의 뜻에 맞는 연립일차방정식은 $\begin{cases} x+y=25 \\ 3x=y+4 \end{cases}$ 이고, 이 연립일차방정식의 해는 $x=\dfrac{29}{4}$, $y=\dfrac{71}{4}$이다. 그런데 이 해는 자연수가 아니므로 문제의 뜻에 맞지 않는다. 따라서 연립일차방정식의 해가 문제의 뜻에 적합한 지를 확인하는 것은 반드시 필요한 절차이다.

어떤 교과서에나 나오는 문제

01 합이 150이고, 차가 3인 두 자연수가 있다. 이 두 자연수를 구하여라.

02 두 정수 x, y의 합은 2이고, x의 2배에 y를 더한 것이 8과 같다. 이때 xy의 값은?

① -35 ② -24 ③ -15

④ -8 ⑤ -3

03 각 자리의 숫자의 합이 12인 두 자리 자연수가 있다. 일의 자리의 숫자는 십의 자리의 숫자의 2배보다 3만큼 작을 때, 이 수를 구하여라.

04 아파트 주차장에 자전거와 승용차가 모두 합하여 24대가 주차되어 있다. 바퀴 수의 합이 80일 때, 승용차가 자전거보다 몇 대 더 많은가?

① 4대   ② 6대   ③ 8대

④ 10대   ⑤ 12대

중요도 ☐   손도 못댐 ☐   과정 실수 ☐   틀린 이유:

05 민서의 돼지 저금통에 100원짜리와 500원짜리 동전이 합하여 30개가 들어 있고, 그 총 금액은 4600원이다. 이때 100원짜리 동전의 개수는?

① 4개   ② 14개   ③ 18개
④ 22개   ⑤ 26개

중요도 ☐   손도 못댐 ☐   과정 실수 ☐   틀린 이유:

06 어떤 농구 경기에서 병욱이는 2점 슛과 3점 슛을 합하여 10번 성공하고 23점을 얻었다. 3점 슛은 몇 개 성공하였는가?

① 3개   ② 4개   ③ 5개
④ 6개   ⑤ 7개

중요도 ☐   손도 못댐 ☐   과정 실수 ☐   틀린 이유:

07 둘레의 길이가 40 cm인 직사각형을 가로의 길이는 2 cm만큼 늘려, 세로의 길이에 2배가 되도록 하였더니 둘레의 길이는 처음 직사각형의 둘레의 길이의 $\frac{3}{2}$ 배가 되었다. 처음 직사각형의 가로의 길이는?

① 8 cm   ② 10 cm   ③ 12 cm
④ 14 cm   ⑤ 16 cm

중요도 ☐   손도 못댐 ☐   과정 실수 ☐   틀린 이유:

08 5 km 떨어진 두 지점에서 동시에 윤천이는 시속 6 km, 종광이는 시속 4 km로 마주보고 걷다가 도중에 만났다. 이때 윤천이는 종광이보다 몇 km를 더 걸었는지 구하여라.

시험에 꼭 나오는 문제

01 차가 17인 두 자연수가 있다. 큰 수의 2배를 작은 수로 나누면 몫이 5, 나머지가 1일 때, 큰 수는?

① 22   ② 23   ③ 25
④ 28   ⑤ 30

02 합이 31인 두 자연수가 있다. 큰 수를 작은 수로 나누면 몫이 6, 나머지가 3일 때, 두 수의 차는?

① 15   ② 18   ③ 20
④ 22   ⑤ 23

03 두 자리 자연수가 있다. 각 자리의 숫자의 합은 10이고, 이 수의 십의 자리와 일의 자리의 숫자를 바꾼 수는 처음 수의 2배보다 1만큼 작다고 한다. 처음 두 자리 자연수는?

① 19   ② 28   ③ 23
④ 35   ⑤ 37

04 지금부터 5년 전에 어머니의 나이는 아들의 나이의 4배였고, 10년 후에 어머니의 나이는 아들의 나이의 2배보다 5살이 많을 때, 현재 어머니의 나이는?

① 38살   ② 40살   ③ 42살
④ 45살   ⑤ 50살

중요도 ☐ 손도 못댐 ☐ 과정 실수 ☐ 틀린 이유:

05 누나와 동생의 나이의 합은 34살이고 나이의 차는 4살일 때, 누나의 나이는?

① 18살　　② 19살　　③ 20살
④ 21살　　⑤ 22살

중요도 ☐ 손도 못댐 ☐ 과정 실수 ☐ 틀린 이유:

06 현재 아버지와 아들 나이의 합은 63살이고, 12년 후에 아버지의 나이는 아들의 나이의 2배보다 6살이 많다고 한다. 현재 아버지의 나이는?

① 45살　　② 46살　　③ 47살
④ 48살　　⑤ 49살

중요도 ☐ 손도 못댐 ☐ 과정 실수 ☐ 틀린 이유:

07 한 개에 1000원하는 아이스크림과 800원하는 음료수를 합하여 11개를 사고, 9800원을 지불하였다. 이때 아이스크림은 몇 개 샀는가?

① 3개　　② 4개　　③ 5개
④ 6개　　⑤ 7개

중요도 ☐ 손도 못댐 ☐ 과정 실수 ☐ 틀린 이유:

08 길이가 300 cm인 끈을 두 개로 나누었더니 긴 끈이 짧은 끈의 4배만큼 더 길었다. 이때 긴 끈의 길이는?

① 210 cm　　② 220 cm　　③ 230 cm
④ 240 cm　　⑤ 250 cm

09 가로의 길이가 세로의 길이보다 5 cm만큼 더 긴 직사각형이 있다. 이 직사각형의 둘레의 길이가 30 cm일 때, 이 직사각형의 넓이는?

① 30 cm^2 ② 50 cm^2 ③ 80 cm^2
④ 100 cm^2 ⑤ 125 cm^2

10 아랫변의 길이가 윗변의 길이의 3배보다 2 cm만큼 짧은 사다리꼴이 있다. 이 사다리꼴의 높이가 8 cm, 넓이가 56 cm^{2}일 때, 아랫변의 길이는?

① 4 cm   ② 6 cm   ③ 8 cm
④ 10 cm   ⑤ 12 cm

11 전체 학생 수가 32명인 학급에서 남학생의 $\frac{2}{9}$와 여학생의 $\frac{3}{7}$이 방과후 수업을 듣는다. 방과후 수업을 듣는 학생이 10명일 때, 이 학급의 남학생 수는?

① 14명   ② 15명   ③ 16명
④ 17명   ⑤ 18명

12 2학년 어느 반 30명의 학생들이 10점 만점인 수행평가를 보았는데 전체 평균이 7.5점이었다. 남학생들의 평균이 7점, 여학생들의 평균이 8.5점이었을 때, 여학생들은 모두 몇 명인가?

① 10명   ② 12명   ③ 13명
④ 14명   ⑤ 15명

13 어떤 사람이 10 km 마라톤 대회에 참가하여 처음에는 시속 12 km의 속력으로 달리다가 도중에 시속 9 km의 속력으로 달려서 1시간 만에 결승점에 도착하였다. 이때 시속 9 km로 달린 거리를 구하여라.

중요도 ☐ 손도 못댐 ☐ 과정 실수 ☐ 틀린 이유:

14 어느 학교의 학생 수는 작년에 비해 남학생은 5 % 늘었고, 여학생은 10 % 줄어 전체적으로 3명이 줄었다고 한다. 올해의 학생 수가 597명일 때, 작년의 여학생 수는?

① 539명　　② 380명　　③ 270명
④ 220명　　⑤ 180명

중요도 ☐ 손도 못댐 ☐ 과정 실수 ☐ 틀린 이유:

15 원가가 1000원인 제품 A와 원가가 500원인 제품 B를 합하여 400개를 구입하고, 제품 A는 15 %, 제품 B는 20 %의 이익을 붙여서 정가를 정하였다. 두 제품을 모두 판매하면 55000원의 이익이 생길 때, 구입한 제품 A의 개수를 구하여라.

중요도 ☐ 손도 못댐 ☐ 과정 실수 ☐ 틀린 이유:

16 재희가 2일, 준희가 6일 동안 작업하여 모두 마칠 수 있는 일을 재희가 4일, 준희가 3일 동안 작업하여 일을 마쳤다. 이 일을 준희가 혼자 하면 며칠이 걸리는가?

① 7일　　② 8일　　③ 9일
④ 10일　　⑤ 11일

01 중요도 ☐ 손도 못댐 ☐ 과정 실수 ☐ 틀린 이유:

다음 중 미지수가 2개인 일차방정식을 모두 고르면?

（정답 2개）

① $2x-y+2=0$ 　　② $x-4y+2$
③ $5y=25$ 　　　　④ $x^2=-y+4$
⑤ $x+5y=2$

02 중요도 ☐ 손두 못댐 ☐ 과정 실수 ☐ 틀린 이유:

순서쌍 $(2, a)$, $(b, -3)$이 일차방정식 $2x+y=7$의 해일 때, $a+b$의 값은?

① 4 　　　　② 5 　　　　③ 6
④ 7 　　　　⑤ 8

03 중요도 ☐ 손도 못댐 ☐ 과정 실수 ☐ 틀린 이유:

x, y가 자연수일 때, 다음 중 해가 <u>없는</u> 일차방정식은?

① $3x+y=6$ 　　　② $3x-2y=1$
③ $4x-y=2$ 　　　④ $x+2y=8$
⑤ $2x+3y=3$

04 중요도 ☐ 손도 못댐 ☐ 과정 실수 ☐ 틀린 이유:

연립방정식 $\begin{cases} x+y=5 \\ x+ay=8 \end{cases}$ 의 해가 $(2, b)$일 때, 상수 a 의 값은?

① -2 　　　② -1 　　　③ 1
④ 2 　　　　⑤ 3

05 중요도 ☐ 손도 못댐 ☐ 과정 실수 ☐ 틀린 이유:

연립방정식 $\begin{cases} x+y=5 \\ ax-y=10 \end{cases}$ 이 해가 $x=3$, $y=b$일 때, $a-b$의 값은? （단, a, b는 상수）

① -3 　　　② -2 　　　③ -1
④ 1 　　　　⑤ 2

06 중요도 ☐ 손도 못댐 ☐ 과정 실수 ☐ 틀린 이유:

연립방정식 $\begin{cases} 3x+8y=30 & \cdots\cdots ㉠ \\ 4x+5y=23 & \cdots\cdots ㉡ \end{cases}$ 을 x를 소거하여 풀려고 한다. 다음 중 필요한 계산 식은?

① ㉠×4−㉡×3 　　② ㉠×4+㉡×3
③ ㉠×8−㉡×3 　　④ ㉠×8−㉡×5
⑤ ㉠×8+㉡×5

07

중요도 ☐ 손도 못댐 ☐ 과정 실수 ☐ 틀린 이유:

연립방정식 $\begin{cases} 3x-4y=-15 \\ 2x+3y=7 \end{cases}$ 을 만족시키는 x, y에 대

하여 $4x-y$의 값은?

① -9 ② -7 ③ -1

④ 3   ⑤ 5

08

중요도 ☐ 손도 못댐 ☐ 과정 실수 ☐ 틀린 이유:

연립방정식 $\begin{cases} ax+by=-1 \\ -bx+ay=7 \end{cases}$ 의 해가 $x=1$, $y=3$일 때,

$a-b$의 값은? (단, a, b는 상수)

① 1   ② 2   ③ 3

④ 4   ⑤ 5

09

중요도 ☐ 손도 못댐 ☐ 과정 실수 ☐ 틀린 이유:

연립방정식 $\begin{cases} x-2y=2 \\ 2x-3y=a \end{cases}$ 를 만족하는 x의 값이 y의 값

보다 3만큼 작을 때, 상수 a의 값은?

① -2 ② -1 ③ 1

④ 2   ⑤ 3

10

중요도 ☐ 손도 못댐 ☐ 과정 실수 ☐ 틀린 이유:

연립방정식 $\begin{cases} 0.7x+0.4y=1.5 \\ \dfrac{-x+2y}{5}=-3 \end{cases}$ 의 해가 $x+y=k$를

만족할 때, 상수 k의 값은?

① -10 ② -5 ③ 0

④ 5   ⑤ 10

11

중요도 ☐ 손도 못댐 ☐ 과정 실수 ☐ 틀린 이유:

연립방정식 $\begin{cases} 4(x-y)-3(2x-y)=-11 \\ \dfrac{1}{4}x-\dfrac{2}{3}y=-a+6 \end{cases}$ 을 만족하

는 x의 값이 y의 값의 3배보다 5만큼 작을 때, 상수 a의

값은?

① -1 ② 1   ③ 3

④ 5   ⑤ 7

12

중요도 ☐ 손도 못댐 ☐ 과정 실수 ☐ 틀린 이유:

연립방정식 $x+2y=ax-4y=5$를 만족하는 x의 값이

-3일 때, 상수 a의 값은?

① -7 ② -5 ③ -2

④ 5   ⑤ 7

13 중요도 ☐ 손도 못댐 ☐ 과정 실수 ☐ 틀린 이유:

연립방정식 $\begin{cases} 2x-3y=a \\ -6x+by=3 \end{cases}$ 의 해가 없기 위한 상수 a, b의 조건은?

① $a=-1$, $b=-9$ ② $a=-1$, $b=9$

③ $a\neq-1$, $b=-9$ ④ $a\neq-1$, $b=9$

⑤ $a\neq1$, $b=9$

14 중요도 ☐ 손도 못댐 ☐ 과정 실수 ☐ 틀린 이유:

연립방정식 $\begin{cases} 3x-2y=5 \\ 2(x-y)-8x+6y=a \end{cases}$ 의 해가 무수히 많을 때, 상수 a의 값은?

① -15 ② -10 ③ -5

④ 10 ⑤ 15

15 중요도 ☐ 손도 못댐 ☐ 과정 실수 ☐ 틀린 이유:

연립방정식 $\begin{cases} (x-1):(y+2)=2:3 \\ 2x+y=5 \end{cases}$ 의 해가 $x=a$, $y=b$일 때, $a+b$의 값은?

① $\dfrac{15}{7}$ ② $\dfrac{16}{7}$ ③ $\dfrac{17}{7}$

④ $\dfrac{18}{7}$ ⑤ $\dfrac{19}{7}$

16 중요도 ☐ 손도 못댐 ☐ 과정 실수 ☐ 틀린 이유:

합이 40인 두 정수가 있다. 큰 수를 작은 수로 나누면 몫이 3이고, 나머지가 4일 때, 두 수의 차는?

① 15   ② 17   ③ 19

④ 20   ⑤ 22

17 중요도 ☐ 손도 못댐 ☐ 과정 실수 ☐ 틀린 이유:

어느 동아리 학생들이 의자에 앉을 때, 한 의자에 3명씩 앉으면 1명이 남고 4명씩 앉으면 의자가 4개 남는다. 이때 이 동아리 학생 수는?

① 45명   ② 46명   ③ 49명

④ 50명   ⑤ 52명

18 중요도 ☐ 손도 못댐 ☐ 과정 실수 ☐ 틀린 이유:

일정한 속력으로 달리는 기차가 200 m 길이의 다리를 지나가는 데 7초가 걸리고, 350 m 길이의 터널을 통과하는 데 10초가 걸린다고 할 때, 이 기차의 길이는?

① 50 m   ② 75 m   ③ 100 m

④ 125 m   ⑤ 150 m

19 📝 서술형   중요도 ☐   손도 못댐 ☐   과정 실수 ☐   틀린 이유:

x, y가 자연수일 때, 일차방정식 $3x+y=12$의 해의 개수를 구하여라.

22 📝 서술형   중요도 ☐   손도 못댐 ☐   과정 실수 ☐   틀린 이유:

두 연립방정식 $\begin{cases} 2ax-3y=-10 \\ x-\dfrac{1}{2}y=b \end{cases}$, $\begin{cases} 2x=-3y+4 \\ 2x=5y-12 \end{cases}$ 의

해가 서로 같을 때, 상수 a, b의 곱 ab의 값을 구하여라.

20   중요도 ☐   손도 못댐 ☐   과정 실수 ☐   틀린 이유:

연립방정식 $\begin{cases} 5x-2y=a \\ -2x+3y=5 \end{cases}$ 의 해가 $(b, 3)$일 때, $a+b$의 값을 구하여라.

23   중요도 ☐   손도 못댐 ☐   과정 실수 ☐   틀린 이유:

A와 B가 함께 4일 동안 작업하여 끝낼 수 있는 일이 있다. 이 일을 먼저 A가 2일 동안 작업한 뒤, B가 8일 동안 작업하여 끝냈다고 한다. 만일 B가 혼자서 이 일을 한다면, 끝내는 데 며칠이 걸리는지 구하여라.

21   중요도 ☐   손도 못댐 ☐   과정 실수 ☐   틀린 이유:

연립방정식 $\begin{cases} ax+y=-2 \\ 2x-y=-5 \end{cases}$ 를 만족하는 x의 값이 y의 값보다 2만큼 클 때, 상수 a의 값을 구하여라.

24 📝 서술형   중요도 ☐   손도 못댐 ☐   과정 실수 ☐   틀린 이유:

어느 중학교의 작년 입학생은 240명이었고, 올해 입학한 남학생 수는 작년에 비해 10 % 늘고, 여학생 수는 5 % 줄어서 전체적으로 9명이 늘었다. 올해 입학한 여학생 수를 구하여라.

11 함수의 뜻

기본 체크

01

한 변의 길이가 x cm인 정사각형의 둘레의 길이를 y cm라고 할때, 다음 물음에 답하여라.

(1) 아래의 표를 완성하여라.

x	1	2	3	4	5
y					

(2) y는 x의 함수인가?

(3) 함수이면 x, y의 관계식을 함수 $f(x)$로 나타내어라.

02

$f(x) = 3x$에 대하여 다음을 구하여라.

(1) $f(1)$

(2) $f(2)$

(3) $f(3)$

핵심 정리

❋ 함수

(1) 변수: x, y와 같이 여러 가지로 변하는 값을 나타내는 문자

(2) 함수: 두 변수 x, y에 대하여 x의 값이 정해짐에 따라 y의 값이 오직 하나씩 정해지는 관계가 있을 때, y를 x의 함수라 한다.

❋ 함수의 표현

y는 x의 함수이고 y가 x의 식 $f(x)$로 주어질 때, 이 함수를 기호로 $y = f(x)$와 같이 나타낸다.

> 두 변수 x, y에 대하여 x의 값이 정해짐에 따라 y의 값이 오직 하나로 정해질 때, y는 x의 함수라고 한다.

참고 변수: x, y와 같이 여러 가지로 변하는 값을 나타내는 문자

❋ 함수의 관계식

(1) $y = ax$ $(a \neq 0)$: y가 x에 정비례

(2) $y = \dfrac{a}{x}$ $(a \neq 0)$: y가 x에 반비례

❋ 함숫값

함수 $y = f(x)$에서 x의 값에 따라 하나씩 정해지는 y의 값 $f(x)$를 x에 대한 함숫값이라 한다.

대표예제

• 정답 및 풀이 29쪽

01

사탕 32개를 학생 x명에게 똑같이 나누어 줄 때, 한 명이 갖는 사탕의 수 y개라고 할 때, 다음 물음에 답하여라.

(1) x와 y 사이의 관계식을 구하여라.

(2) $f(8)$의 값을 구하여라.

풀이 (1) x명에게 y개씩 똑같이 나누어준 사탕의 개수가 ☐개이므로

$xy = $ ☐에서 $y = $ ☐이다.

이를 함수 $f(x)$로 나타내면 $f(x) = $ ☐이다.

(2) $f(8) = \dfrac{☐}{8} = $ ☐

> $f(x)$는 x에 대한 함숫값이고 x의 값에 따라 하나로 결정되는 y의 값을 함숫값이라고 한다.

02 함수 $f(x) = -4x + 3$일 때, $f\left(\dfrac{1}{2}\right)$의 값을 구하여라.

풀이 $f\left(\dfrac{1}{2}\right) = -4 \times \boxed{} + 3 = \boxed{} + 3 = \boxed{}$ 이다.

함수 $y = f(x)$에 대하여 $x = a$에서의 함숫값은 $f(a)$이다.

03 함수 $f(x) = -\dfrac{2}{x}$에 대하여 $f(-1) + f(2) + f(4)$의 값을 구하여라.

풀이 $f(x) = -\dfrac{2}{x}$에 $x = -1, 2, 4$를 각각 대입하면

$f(-1) = \boxed{}$, $f(2) = \boxed{}$, $f(4) = \boxed{}$ 이므로

$f(-1) + f(2) + f(4) = \boxed{}$ 이다.

$f(-1)$은 자리에 -1을 대입, $f(2)$은 x자리에 2를 대입, $f(4)$은 x자리에 4를 대입한다.

04 $f(n) = ($자연수 n을 6으로 나눈 나머지$)$라고 할 때,
$f(25) + f(50) + f(60)$의 값을 구하여라.

풀이 $f(n) = ($자연수 n을 6으로 나눈 나머지$)$이므로

$f(25) = ($자연수 25를 6으로 나눈 나머지$) = \boxed{}$

$f(50) = ($자연수 50을 6으로 나눈 나머지$) = \boxed{}$

$f(60) = ($자연수 60을 6으로 나눈 나머지$) = \boxed{}$

$\therefore f(25) + f(50) + f(60) = \boxed{}$

05 함수 $f(x) = ax$에 대하여 $f(3) = 12$일 때, $f(-3)$의 값을 구하여라.

풀이 $x = \boxed{}$을 대입하면

$\boxed{} = 12$에서 $a = \boxed{}$이다.

따라서, 함수의 식은 $f(x) = \boxed{}$이므로

$f(-3) = 4 \times (\boxed{}) = \boxed{}$이다.

함수 $y = f(x)$에 대하여 $f(m) = n$이다.
$\Rightarrow x = m$일 때, $y = n$이다.

🐱 **함수 상자**

그림의 함수 상자는 출력값이 입력값의 함수라는 것을 잘 표현하고 있는 그림이다.
함수(函數)에서 '함(函)'은 상자를 뜻하는 글자로 그림과 같은 관계를 함수로 이해하였다.

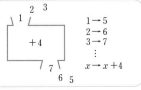

01 다음 중 y가 x의 함수가 <u>아닌</u> 것은?

① 한 개에 700원 하는 볼펜 x개의 값 y원
② 하루 중 낮의 길이가 x시간일 때, 밤의 길이 y시간
③ 한 변의 길이가 x cm인 정사각형의 둘레의 길이 y cm
④ 절댓값이 x인 수 y
⑤ 십의 자리의 숫자가 x, 일의 자리의 숫자가 5인 두 자리의 자연수 y

중요도 ☐ 손도 못댐 ☐ 과정 실수 ☐ 틀린 이유:

02 한 변의 길이가 x cm인 정삼각형의 둘레의 길이를 y cm라고 할 때, 다음 물음에 답하여라.

(1) x와 y사이의 관계식을 구하여라.

(2) $f(12)=a$일 때, a의 값을 구하여라.

(3) $f(b)=12$일 때, b의 값을 구하여라.

중요도 ☐ 손도 못댐 ☐ 과정 실수 ☐ 틀린 이유:

03 함수 $f(x)=-2x$에 대하여 $f(3)$의 값은?

① -6 ② -4 ③ -1
④ 4 ⑤ 6

중요도 ☐ 손도 못댐 ☐ 과정 실수 ☐ 틀린 이유:

04 함수 $f(x)=1-2x$에 대하여 다음 함숫값을 구하여라.

(1) $f(-1)$

(2) $f(0)$

(3) $f\left(\dfrac{1}{2}\right)$

(4) $f(1)$

중요도 ☐ 손도 못댐 ☐ 과정 실수 ☐ 틀린 이유:

05 함수 $f(x)=x-4$에 대하여 $f(-1)-f(2)$를 구하면?

중요도 ☐ 손도 못댐 ☐ 과정 실수 ☐ 틀린 이유:

① -7 ② -3 ③ 0
④ 3 ⑤ 7

06 함수 $f(x)=-3x-2$에 대하여 $f(a)=-8$, $f(b)=-5$, $f(c)=-2$, $f(d)=1$일 때, $a+b+c+d$의 값을 구하여라.

중요도 ☐ 손도 못댐 ☐ 과정 실수 ☐ 틀린 이유:

07 함수 $y=-\dfrac{3}{x}$에서 $f(a)=1$, $f(b)=3$일 때, $a-b$의 값을 구하면?

중요도 ☐ 손도 못댐 ☐ 과정 실수 ☐ 틀린 이유:

① -3 ② -2 ③ -1
④ 0 ⑤ 1

08 함수 $y=\dfrac{a}{x}$에 대하여 $f(3)=5$일 때, $f(6)+f(-10)$의 값을 구하여라.

중요도 ☐ 손도 못댐 ☐ 과정 실수 ☐ 틀린 이유:

09 함수 $y=\dfrac{a}{x}$에 대하여 $f(-3)=12$이고, $f(4)=b$일 때, $\dfrac{a}{b}$의 값은?

중요도 ☐ 손도 못댐 ☐ 과정 실수 ☐ 틀린 이유:

① -9 ② -4 ③ 1
④ 4 ⑤ 9

시험에 꼭 나오는 문제

01 다음 중 y가 x의 함수인 것은?

① y는 자연수 x의 배수
② x보다 작은 자연수 y
③ x의 약수 y
④ 자연수 x와 서로소인 자연수 y
⑤ 합이 15가 되는 두 자연수 x와 y

02 함수 $y=f(x)$에서 x와 y 사이의 관계가 표와 같을 때, $f(8)$의 값을 구하여라.

x	1	2	3	4	⋯
y	24	12	8	6	⋯

03 다음은 요금이 300원인 도서관을 이용할 때, 도서관을 이용한 인원수와 도서관의 하루 요금 총액과의 관계를 나타낸 것이다. 도서관을 이용한 인원수를 x명, 도서관의 하루 요금 총액을 y원이라 할 때, x와 y 사이의 관계식을 구하여라.

x(명)	1	2	3	4	⋯
y(원)	300	600	900	1200	⋯

04 1 L의 휘발유로 10 km의 거리를 달릴 수 있는 자동차가 있다. x L의 휘발유로 달릴 수 있는 거리를 y km라고 할 때, x와 y 사이의 관계식을 구하여라.

05 다음 두 변수 x와 y사이의 관계를 식으로 나타내어라.

중요도 ☐ 손도 못댐 ☐ 과정 실수 ☐ 틀린 이유:

(1) 한 개에 1500원 하는 아이스크림을 x개 샀을 때, 금액 y원

(2) 넓이가 30cm^2 인 직사각형의 가로의 길이가 $x\text{cm}$ 일 때, 세로의 길이 $y\text{cm}$

(3) 십의 자리의 숫자가 3이고, 일의 자리의 숫자가 x인 두 자리의 자연수 y

06 함수 $f(x)=x+3$에 대하여 다음 중 옳은 것은?

중요도 ☐ 손도 못댐 ☐ 과정 실수 ☐ 틀린 이유:

① $f(-5)=-1$ ② $f(-3)=0$

③ $f(0)=1$ ④ $f(1)=5$

⑤ $f(3)=5$

07 다음 중 $f(-3)=12$인 것은?

중요도 ☐ 손도 못댐 ☐ 과정 실수 ☐ 틀린 이유:

① $f(x)=\dfrac{4}{3}x$ ② $f(x)=-4x$

③ $f(x)=\dfrac{36}{x}$ ④ $f(x)=-2x+5$

⑤ $f(x)=-\dfrac{12}{x}$

08 함수 $f(x)=\dfrac{16}{x}$에 대하여 $f(1)\times f(2)+f(4)$의 값을 구하여라.

중요도 ☐ 손도 못댐 ☐ 과정 실수 ☐ 틀린 이유:

시험에 꼭 나오는 문제

09 함수 $f(x)=3x-2$에 대하여 $3f(1)-2f(3)$의 값은?

① -5 ② -7 ③ -9

④ -11 ⑤ -13

10 함수 $f(x)=ax$에 대하여 $f(5)=20$일 때, $4f(3)-2f(-1)$의 값은?

① 20 ② 38 ③ 40

④ 56 ⑤ 60

11 함수 $f(x)=\dfrac{15}{x}$에 대하여 $f(-5)+f(-3)+f(1)$

의 값은?

① -8 ② -7 ③ 1

④ 7 ⑤ 8

12 함수 $f(x)=ax-3$에 대하여 $f(1)=7$일 때, 상수 a의 값은?

① -3 ② 3 ③ 5

④ 7 ⑤ 10

13 함수 $f(x)=ax-3$에 대하여 $f(2)+f(3)+f(5)=21$일 때, 상수 a의 값을 구하여라.

14 함수 $f(x)=ax$에 대하여 $f(-1)=3$일 때, $f(2)$의 값을 구하여라.

15 함수 $f(x)=\dfrac{5}{x}\,(x>0)$에 대하여 다음 설명 중 옳지 않은 것은?

① $f(2)=\dfrac{5}{2}$

② $f(4)=\dfrac{5}{4}$

③ $f(x)=\dfrac{5}{3}$가 되도록 하는 x의 값은 3이다.

④ $f(x)=5$가 되도록 하는 x의 값은 5이다.

⑤ x의 값이 정해짐에 따라 y의 값이 오직 하나씩 대응한다.

16 함수 $f(x)=ax$에 대하여 $f(3)=15$일 때, $3f(2)+2f(-3)=5f(k)$를 만족하는 k의 값을 구하여라.

17 시속 x km로 y시간 동안 달린 자동차가 이동한 거리가 240 km일 때, 다음 물음에 답하여라.

(1) x와 y 사이의 관계식을 구하여라.

(2) $f(80)$의 값을 구하여라.

(3) $f(120)$의 값을 구하여라.

12 일차함수와 그 그래프

학습목표 • 일차함수의 의미를 이해하고, 일차함수의 그래프를 그릴 수 있다.

기본 체크

01

다음 일차함수의 그래프를 y축의 방향으로 [ ] 안의 값만큼 평행이동한 그래프가 나타내는 일차함수의 식을 구하여라.

(1) $y=4x$ $[3]$　　(2) $y=-\dfrac{1}{2}x$ $[-3]$

02

다음 일차함수의 그래프의 기울기를 구하여라.

(1) $y=5x-3$　　(2) $y=\dfrac{1}{5}x+2$

(3) $y=-x+3$　　(4) $y=-\dfrac{2}{3}x+4$

핵심 정리

일차함수
두 변수 x, y에 대하여 x의 값이 변함에 따라 y의 값이 하나씩 정해질 때, y를 x의 함수라 한다.
함수 $y=f(x)$에서 y가 x에 대한 일차식 $y=ax+b(a\neq0$, a, b는 상수$)$로 나타내어질 때, 이 함수 $f(x)$를 일차함수라고 한다.

일차함수의 그래프와 평행이동
① 평행이동: 한 도형을 일정한 방향으로 일정한 거리만큼 옮기는 것
② 일차함수 $y=ax+b$의 그래프: 일차함수 $y=ax$의 그래프를 y축의 방향으로 b만큼 평행이동한 직선이다.

일차함수 $y=ax+b$의 그래프의 x절편, y절편
① x절편: 일차함수의 그래프가 x축과 만나는 점의 x좌표, 즉 $y=0$일 때의 x의 값
　x축 위의 점의 y좌표는 항상 0이다.
② y절편: 일차함수의 그래프가 y축과 만나는 점의 y좌표, 즉 $x=0$일 때의 y의 값
　y축 위의 점의 x좌표는 항상 0이다.

일차함수의 그래프의 기울기
일차함수 $y=ax+b$의 그래프에서
$$(기울기)=\dfrac{(y의\ 값의\ 증가량)}{(x의\ 값의\ 증가량)}=a$$

참고 ① $a>0$: 그래프가 오른쪽 위로 향한다.
② $a<0$: 그래프가 왼쪽 위로 향한다.

대표예제

01
10 L의 물이 들어 있는 수조에 매분 2 L씩의 물을 받았다. 물을 받기 시작하여 x분 후 수조에 담긴 물의 양을 y L라고 할 때, x와 y사이의 관계를 식으로 나타내고, y가 x에 관한 일차함수인지 말하여라.

풀이 매분 2 L씩의 물을 받는다면 x분 후 수조에 담긴 물의 양은 ☐ L가 늘어나므로 x분 후 수조에 담긴 물의 양은 (☐☐☐) L이다.
따라서 x와 y 사이의 관계를 식으로 나타내면 $y=$☐☐이고, ☐☐은 x에 관한 일차식이므로 y는 x에 관한 ☐☐☐이다.

함수 $y=ax+b(a\neq0)$에서 $b=0$인 경우인 $y=ax$도 일차함수이다.

• 정답 및 풀이 31쪽

02 일차함수 $y=-2x+6$의 그래프의 x절편과 y절편을 각각 구하여라.

풀이 x절편은 $y=\boxed{}$일 때의 x의 값이므로

$\boxed{}=-2x+6$, $2x=\boxed{}$, 즉 $x=\boxed{}$

y절편은 $x=\boxed{}$일 때의 y의 값이므로

$y=-2\times\boxed{}+6$, 즉 $y=\boxed{}$

따라서 x절편은 $\boxed{}$, y절편은 $\boxed{}$이다.

x축 위의 점의 y좌표는 항상 0이고, y축 위의 점의 x좌표는 항상 0이다.

03 일차함수 (1), (2)의 그래프가 오른쪽 그림과 같을 때, 각 그래프의 기울기를 구하여라.

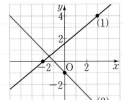

풀이 (1) 그래프가 두 점 $(-2, 0)$, $(3, 4)$를 지나므로

$$(\text{기울기}) = \frac{(y\text{의 값의 증가량})}{(x\text{의 값의 증가량})} = \frac{\boxed{}}{\boxed{}} = \boxed{}$$

(2) 그래프가 두 점 $(0, -1)$, $(3, -4)$를 지나므로

$$(\text{기울기}) = \frac{(y\text{의 값의 증가량})}{(x\text{의 값의 증가량})} = \frac{\boxed{}}{\boxed{}} = \boxed{} = \boxed{}$$

y절편
↓
$y=2x+1$
↑
기울기

04 두 일차함수 $y=-\dfrac{1}{2}x+1$과 $y=ax-1$의 그래프가 서로 평행할 때, 상수 a의 값을 구하여라.

풀이 두 일차함수 $y=-\dfrac{1}{2}x+1$과 $y=ax-1$의 그래프가 서로 평행하므로 두 일차함수의

그래프의 $\boxed{}$는 같다.

$\therefore a=\boxed{}$

두 일차함수가 평행하려면 절편은 다르고 기울기는 같아야 한다.

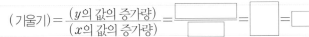 일차함수의 그래프의 성질

일차함수 $y=ax+b$의 그래프에서
① $a>0$이면 그래프는 오른쪽 위로 향하는 직선이고 x의 값이 증가할 때 y의 값도 증가한다.
② $a<0$이면 그래프는 오른쪽 아래로 향하는 직선이고 x의 값이 증가할 때 y의 값은 감소한다.
③ 기울기가 같은 두 일차함수의 그래프는 서로 평행하거나 일치하고, 서로 평행한 두 일차함수의 그래프의 기울기는 서로 같다.

어떤 교과서에나 나오는 문제

01 다음 중 일차함수를 모두 고르면? (정답 2개)

① $y = x^2 - 6x$　　② $y = -8$

③ $y = \dfrac{x}{3}$　　④ $y = \dfrac{9}{x} - 11$

⑤ $y = 2x - (5 - 2x)$

02 일차함수 $y = f(x)$에서 $y = \dfrac{1}{3}x + 2$일 때, 함숫값 $f(-3)$의 값은?

① -1　　② 0　　③ 1

④ 2　　⑤ 3

03 다음 중 일차함수 $y = -3x + 2$의 그래프 위의 점이 아닌 것은?

① $(1, -1)$　　② $(2, -4)$　　③ $(1, 5)$

④ $(-2, 8)$　　⑤ $(3, -7)$

04 일차함수 $y = 2x - 4$의 그래프가 y축과 만나는 점의 좌표는?

① $(0, 2)$　　② $(2, 0)$　　③ $(0, -4)$

④ $(-4, 0)$　　⑤ $(2, -4)$

05 일차함수 $y=3x-5$의 그래프를 y축의 방향으로 9만큼 평행이동한 그래프의 식은?

① $y=3x$ ② $y=9x-5$

③ $y=3x-14$ ④ $y=3x+4$

⑤ $y=-3x+4$

06 일차함수 $y=-\dfrac{1}{4}x+5$에서 x의 값이 8만큼 증가할 때, y의 값의 증가량을 구하여라.

07 다음 중 그 그래프가 오른쪽 위로 향하는 일차함수는?

① $y=3$ ② $y=-2x+3$

③ $y=-\dfrac{2}{5}x-2$ ④ $y=-5x$

⑤ $y=3x-3$

08 두 점 $(3, 2)$, $(1, a)$를 지나는 직선의 기울기가 2일 때, a의 값으로 알맞은 것은?

① 2 ② 1 ③ 0

④ -1 ⑤ -2

시험에 꼭 나오는 문제

01 다음 중 y가 x에 관한 일차함수인 것은?

① 반지름의 길이가 x cm인 원의 넓이는 y cm 이다.

② 시속 x km로 y시간 동안 달린 거리는 3 km 이다.

③ 한 개에 x원인 과일 y개의 값은 200원이다.

④ 길이가 10 cm인 테이프를 x cm 사용하고 남 은 길이는 y cm이다.

⑤ 가로의 길이가 x cm, 세로의 길이가 y cm인 직사각형의 넓이는 10 cm^{2}이다.

02 일차함수 $f(x)=3x-5$에 대하여 다음 중 함숫값이 옳은 것은?

① $f(0)=5$ ② $f(-1)=-2$

③ $f\left(\dfrac{5}{3}\right)=0$ ④ $f(-0.5)=8.5$

⑤ $f(3)=-5$

03 일차함수 $y=2x+3$의 그래프가 점 $(k,\ 1)$을 지날 때, 상수 k의 값은?

① -3 ② -2 ③ -1

④ 0 ⑤ 1

04 일차함수 $y=3x-9$의 그래프는 일차함수 $y=3x+4$의 그래프를 y축의 방향으로 얼마만큼 평 행이동한 것인가?

① -13 ② -9 ③ -5

④ 5 ⑤ 13

• 정답 및 풀이 32쪽

중요도 ☐ 손도 못댐 ☐ 과정 실수 ☐ 틀린 이유:

05 일차함수 $y = \dfrac{1}{2}x$의 그래프를 y축의 방향으로 -3만큼 평행이동한 그래프가 점 $(k, 1)$을 지날 때, k의 값은?

① -4 ② 0 ③ 2
④ 4 ⑤ 8

중요도 ☐ 손도 못댐 ☐ 과정 실수 ☐ 틀린 이유:

06 일차함수 $y = 2x + m$의 그래프를 y축의 방향으로 $-n$만큼 평행이동하면 점 $(7, 2)$를 지날 때, $m - n$의 값은?

① -15 ② -12 ③ -5
④ -3 ⑤ 0

중요도 ☐ 손도 못댐 ☐ 과정 실수 ☐ 틀린 이유:

07 일차함수 $y = ax - 4$의 그래프에서 x절편이 8일 때, 상수 a의 값은?

① -12 ② $-\dfrac{1}{2}$ ③ $\dfrac{1}{2}$
④ 2 ⑤ 12

중요도 ☐ 손도 못댐 ☐ 과정 실수 ☐ 틀린 이유:

08 일차함수 $y = -3x - 6$의 그래프의 x절편과 $y = 2x - b$의 그래프의 x절편이 같을 때, 상수 b의 값은?

① -4 ② -2 ③ 2
④ 4 ⑤ 6

시험에 꼭 나오는 문제

09 다음 일차함수 중 그 그래프가 $y=8x-2$의 그래프 와 x축 위에서 만나는 것은?

① $y=4x-1$ ② $y=-\dfrac{1}{4}x+4$

③ $y=-4x-1$ ④ $y=4x+1$

⑤ $y=\dfrac{1}{4}x-1$

10 일차함수 $y=-5x+20$의 그래프와 x축, y축으로 둘러싸인 삼각형의 넓이는?

① 20   ② 40   ③ 50
④ 80   ⑤ 100

11 일차함수 $y=\dfrac{2}{3}x-1$의 그래프에서 x의 값이 -2 에서 4까지 증가할 때, y의 값의 증가량은?

① 1   ② 2   ③ 3
④ 4   ⑤ 5

12 기울기가 2인 어느 일차함수의 그래프가 두 점 $(-1, k)$, $(2, 7)$을 지날 때, k의 값은?

① 1   ② 2   ③ 3
④ 4   ⑤ 5

중요도 ☐ 손도 못댐 ☐ 과정 실수 ☐ 틀린 이유:

13 세 점 $(-1, -2)$, $(-4, 4)$, $(-3, a)$가 한 직선 위에 있을 때, a의 값은?

① 0   ② $\dfrac{2}{3}$ ③ 2

④ $\dfrac{7}{3}$ ⑤ 3

중요도 ☐ 손도 못댐 ☐ 과정 실수 ☐ 틀린 이유:

14 일차함수 $y = ax + b$의 그래프가 오른쪽 그림과 같을 때, 상수 a, b의 부호는?

① $a > 0$, $b > 0$
② $a > 0$, $b < 0$
③ $a < 0$, $b > 0$
④ $a < 0$, $b < 0$
⑤ $a < 0$, $b = 0$

중요도 ☐ 손도 못댐 ☐ 과정 실수 ☐ 틀린 이유:

15 다음 일차함수의 그래프 중에서 제 3사분면을 지나지 않는 것은?

① $y = \dfrac{1}{2}x$ ② $y = x + 1$

③ $y = -\dfrac{1}{2}x - 3$ ④ $y = \dfrac{3}{2}x - 3$

⑤ $y = -\dfrac{1}{2}x + 1$

중요도 ☐ 손도 못댐 ☐ 과정 실수 ☐ 틀린 이유:

16 두 일차함수 $y = kx + 1$과 $y = 4x - 7$의 그래프가 서로 평행하기 위한 상수 k의 값은?

① 2   ② 4   ③ 5
④ 6   ⑤ 7

13 일차함수의 그래프의 식과 활용

학습목표 • 일차함수의 그래프와 함수의 식의 관계를 알 수 있고, 일차함수를 활용하여 여러 가지 문제를 해결할 수 있다.

 기본 체크

01

다음 일차함수의 그래프의 y절편을 구하여라.

(1) $y = 4x - 8$

(2) $y = -5x + 15$

(3) $y = \dfrac{2}{3}x - 4$

02

다음 일차함수의 그래프와 평행인 일차함수의 그래프의 기울기를 각각 구하여라.

(1) $y = 3x - 9$

(2) $y = -\dfrac{3}{4}x + 3$

(3) $y = -\dfrac{1}{2}x + 3$

 핵심 정리

✱ 기울기가 a이고, y절편이 b인 직선을 그래프로 하는 일차함수의 식
⇨ $y = ax + b$

✱ 기울기가 a이고, 한 점 (x_1, y_1)을 지나는 직선을 그래프로 하는 일차함수의 식
① 기울기가 a이므로 구하는 일차함수의 식을 $y = ax + b$로 놓는다.
② $y = ax + b$에 주어진 한 점 (x_1, y_1)의 좌표를 대입하여 b의 값을 구한다. →$x = x_1, y = y_1$을 대입한다.

✱ 서로 다른 두 점을 지나는 직선을 그래프로 하는 일차함수의 식
→오직 하나뿐이다.
① 두 점을 지나는 직선의 기울기 a를 구한다.
② $y = ax + b$에 한 점의 좌표를 대입하여 b의 값을 구한다.

✱ 일차함수의 활용 문제는 다음과 같은 순서로 푼다.
① 문제의 뜻을 이해하고 변화하는 두 양을 x, y로 놓는다.
② 문제의 뜻에 알맞게 x와 y 사이의 관계를 식으로 나타낸다.
③ 함수에 특정한 값을 대입하거나 함수의 그래프를 그려 문제에서 요구하는 값을 구한다.
④ 구한 값이 문제의 뜻에 맞는지 확인한다.

 대표예제

• 정답 및 풀이 33쪽

01 오른쪽 그림의 직선을 그래프로 하는 일차함수의 식을 구하여라.

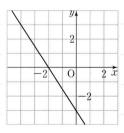

풀이 오른쪽 그래프에서 x의 값이 2만큼 증가할 때 y의 값이 ☐만큼

감소하므로 (기울기) $= \dfrac{\boxed{}}{2} = \boxed{}$ 이다.

한편 y절편은 ☐이므로 구하는 일차함수의 식은

$y = \boxed{}$ 이다.

x는 오른쪽 방향이 증가하는 방향이고, y는 위쪽 방향이 증가하는 방향이다.

02 기울기가 3이고 점 (2, 5)를 지나는 직선을 그래프로 하는 일차함수의 식을 구하여라.

풀이 구하는 일차함수의 식을 $y=ax+b$라고 하면

이 직선은 기울기가 3이므로 $y=\boxed{}x+b$이다.

또 이 그래프가 점 (2, 5)를 지나므로

$x=2$, $y=5$를 $y=\boxed{}x+b$에 대입하면

$5=\boxed{}\times 2+b$, 즉 $b=\boxed{}$

따라서 구하는 일차함수의 식은 $y=\boxed{}$

> 직선의 기울기와 그 직선 위의 한 점의 좌표를 알 때 구하는 일차함수의 식을 $y=ax+b$로 놓고 일차함수의 식을 구한다.

03 두 점 (−1, 1), (1, 5)를 지나는 직선을 그래프로 하는 일차함수의 식을 구하여라.

풀이 구하는 일차함수의 식을 $y=ax+b$라고 하면

이 직선은 두 점 (−1, 1), (1, 5)를 지나므로

$$(\text{기울기})=\frac{\boxed{}}{\boxed{}}=\boxed{}=\boxed{}$$

따라서, 일차함수의 식은

$y=2x+b$이다.

또 이 그래프가 점 (−1, 1)을 지나므로

$x=-1$, $y=1$을 $y=2x+b$에 대입하면

$1=2\times(-1)+b$, 즉 $b=\boxed{}$

따라서 구하는 일차함수의 식은 $y=\boxed{}$

> 일차함수의 그래프의 x절편과 y절편을 알면 그 그래프가 x축, y축과 만나는 점을 알 수 있으므로, 즉 서로 다른 두 점을 알 수 있으므로 이를 이용하여 일차함수의 식을 구할 수도 있다.

04 공기 중의 소리의 속력은 기온에 따라 달라진다. 기온이 15 ℃일 때 소리의 속력은 340 m/초이다. 또한 기온이 1 ℃ 올라갈 때마다 소리의 속력은 0.6 m/초씩 증가한다고 한다. 기온이 10 ℃ 일 때 소리의 속력을 구하여라.

풀이 기온이 x ℃ 일 때 소리의 속력을 y m/초라고 하면

섭씨 15 ℃ 일 때 340 m/초가 되므로

$y=\boxed{}+\boxed{}(x-15)$, 즉 $y=0.6x+\boxed{}$

기온이 10 ℃ 이므로 $\boxed{}=10$을 $y=0.6x+\boxed{}$에 대입하면

$\boxed{}=0.6\times\boxed{}+331=\boxed{}$ (m/초)

🚀 **일차함수의 그래프**

일차함수의 그래프는 직선이고, 서로 다른 두 점을 지나는 직선은 오직 하나뿐이다. 따라서 일차함수의 그래프를 그릴 때, 그 그래프가 지나는 서로 다른 두 점을 알면 일차함수의 그래프를 쉽게 그릴 수 있다.

어떤 교과서에나 나오는 문제

중요도 ☐ 손도 못댐 ☐ 과정 실수 ☐ 틀린 이유:

01 일차함수 $y=\dfrac{3}{2}x+4$의 그래프와 평행하고, y절편이 -5인 직선을 그래프로 하는 일차함수의 식을 구하여라.

중요도 ☐ 손도 못댐 ☐ 과정 실수 ☐ 틀린 이유:

02 일차함수 $y=3x+2$의 그래프와 평행하고, 점 $(2,4)$를 지나는 직선을 그래프로 하는 일차함수의 식을 구하여라.

중요도 ☐ 손도 못댐 ☐ 과정 실수 ☐ 틀린 이유:

03 두 점 $(-2,2)$, $(2,6)$을 지나는 직선을 그래프로 하는 일차함수의 식을 구하여라.

중요도 ☐ 손도 못댐 ☐ 과정 실수 ☐ 틀린 이유:

04 다음 중 x절편이 -2, y절편이 1인 직선을 그래프로 하는 일차함수의 그래프는?

① $y=-\dfrac{1}{2}x+1$ ② $y=\dfrac{1}{2}x+1$

③ $y=-\dfrac{3}{2}x+1$ ④ $y=\dfrac{3}{2}x+1$

⑤ $y=2x+1$

05 y절편이 -2인 직선을 그래프로 하는 일차함수가 점 $(2, 2)$를 지날 때, 이 일차함수의 그래프의 x절편을 구하여라.

06 길이가 30 cm인 초에 불을 붙이면 1분에 0.5 cm씩 짧아진다. x분 후에 남은 초의 길이를 y cm라 할 때, x, y 사이의 관계를 식으로 나타낸 것은?

① $y=0.5x+20$ ② $y=0.5x+30$
③ $y=-0.5x-20$ ④ $y=-0.5x+30$
⑤ $y=-5x+30$

07 가로의 길이가 6 cm, 세로의 길이가 5 cm인 직사각형이 있다. 가로의 길이를 x cm늘렸을 때의 넓이를 y cm^2 라 할 때, y를 x에 관한 식으로 나타낸 것은?

① $y=6x+30$ ② $y=-6x-30$
③ $y=5x+30$ ④ $y=-5x-30$
⑤ $y=30x+6$

08 150 L의 물이 들어 있는 물통에서 3분마다 9 L 비율로 물이 흘러 나간다. 물이 흘러 나가기 시작하여 x분 후에 물통에 남아 있는 물의 양을 y L라 할 때, 물통에 물이 60 L가 남아 있을 때는 몇 분 후인가?

① 30분 후 ② 31분 후 ③ 32분 후
④ 33분 후 ⑤ 34분 후

시험에 꼭 나오는 문제

01 기울기가 $\dfrac{3}{5}$이고, y절편이 -1인 직선이 점 $(p, -2)$를 지날 때, 상수 p의 값은?

① -2 　② $-\dfrac{5}{3}$ 　③ $-\dfrac{4}{3}$

④ -1 　⑤ $-\dfrac{2}{3}$

02 일차함수 $y=ax+b$의 그래프는 점 $(0, 3)$을 지나며, x의 값이 2만큼 증가하면 y의 값은 8만큼 감소할 때, 두 상수 a, b의 합 $a+b$의 값은?

① -1 　② 1 　③ 2

④ 3 　⑤ 4

03 y절편이 -3인 어떤 일차함수의 그래프가 점 $(2, 1)$을 지날 때, 이 일차함수의 그래프의 x절편은?

① $\dfrac{1}{2}$ 　② 1 　③ $\dfrac{3}{2}$

④ 2 　⑤ $\dfrac{5}{2}$

04 두 점 $(1, -1)$, $(-2, 5)$를 지나는 직선과 평행 하며 x절편이 $\dfrac{1}{2}$인 직선을 그래프로 하는 일차함수의 식은?

① $y=-2x+1$ 　② $y=-2x+7$

③ $y=-\dfrac{1}{2}x+2$ 　④ $y=\dfrac{1}{2}x+1$

⑤ $y=-2x-1$

• 정답 및 풀이 34쪽

05 두 점 $(2, 3)$, $(-2, 0)$를 지나는 직선 위에 점 $(3a+1, 3a)$가 있을 때, a의 값은?

중요도 ☐ 손도 못댐 ☐ 과정 실수 ☐ 틀린 이유:

① -2 ② 0 ③ 1
④ 2 ⑤ 3

06 두 점 $(-3, 1)$, $(1, k)$를 지나는 직선이 일차함수 $y=2x-5$의 그래프와 서로 평행하고, y절편이 b일 때, $b+k$의 값은?

중요도 ☐ 손도 못댐 ☐ 과정 실수 ☐ 틀린 이유:

① 16 ② 13 ③ 10
④ 7 ⑤ 4

07 세 점 $(-1, 4)$, $(2, -5)$, $(k, k+3)$이 한 직선 위에 있고, 그 직선을 그래프로 하는 일차함수의 식을 $y=ax+b$라고 할 때, $b+k$의 값은? (단, a, b는 상수)

중요도 ☐ 손도 못댐 ☐ 과정 실수 ☐ 틀린 이유:

① $\dfrac{1}{2}$ ② 1 ③ $\dfrac{3}{2}$
④ 3 ⑤ $\dfrac{5}{2}$

08 다음 중 x절편이 3, y절편이 -6인 직선을 그래프로 하는 일차함수의 식은?

중요도 ☐ 손도 못댐 ☐ 과정 실수 ☐ 틀린 이유:

① $y=6x+3$ ② $y=-3x-6$
③ $y=3x-6$ ④ $y=-2x-6$
⑤ $y=2x-6$

시험에 꼭 나오는 문제

09 다음 직선 중 네 개의 직선과 평행하지 <u>않은</u> 하나는?

① 일차함수 $y=2x-1$의 그래프
② x절편이 -2이고, y절편이 4인 직선
③ 두 점 $(1, 3)$, $(4, 9)$를 지나는 직선
④ y절편이 3이고, 점 $(1, 5)$를 지나는 직선
⑤ x절편이 1이고, 점 $(2, 8)$을 지나는 직선

10 일차함수 $y=ax+b$의 그래프가 오른쪽 그림과 같을 때, 이 그래프의 x절편은?

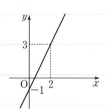

① $\dfrac{1}{4}$ ② $\dfrac{1}{3}$

③ $\dfrac{1}{2}$ ④ $\dfrac{3}{4}$

⑤ 1

11 다음 중 오른쪽 그림의 직선과 평행하고 점 $(-1, 2)$를 지나는 직선을 그래프를 하는 일차함수의 식은?

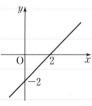

① $y=2x+4$
② $y=-2x-4$
③ $y=-x-3$
④ $y=x-3$
⑤ $y=x+3$

12 일차함수 $y=-2x+1$의 그래프와 y축에서 만나고, 점 $(3, 7)$을 지나는 직선을 그래프로 하는 일차함수의 식은?

① $y=-\dfrac{1}{2}x+5$ ② $y=2x+1$

③ $y=-2x+13$ ④ $y=x+4$

⑤ $y=\dfrac{8}{3}x+1$

13 다음 중 일차함수 $y=ax-1$의 그래프가 두 점A$(2, 0)$, B$(1, 2)$를 이은 선분 AB와 만나도록 하는 상수 a의 값으로 옳은 것은?

중요도 ☐ 손도 못댐 ☐ 과정 실수 ☐ 틀린 이유:

① -2　　② -1　　③ $\dfrac{1}{3}$

④ 2　　⑤ 4

14 오른쪽 그림과 같은 직사각형에서 점 P가 점 A를 출발하여 매초 3 cm의 속력으로 점 B까지 움직인다. x초 후의 △APD의 넓이를 y cm²라 할 때, y를 x의 식으로 나타내어라.

중요도 ☐ 손도 못댐 ☐ 과정 실수 ☐ 틀린 이유:

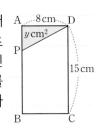

15 휘발유 5 L로 100 km를 달리는 자동차가 있다. 이 차에 휘발유 60 L를 넣고 달린 거리를 x km, 남은 휘발유의 양을 y L라 할 때, y를 x에 관한 식으로 나타낸 것은?

중요도 ☐ 손도 못댐 ☐ 과정 실수 ☐ 틀린 이유:

① $y=-0.5x+60$　　② $y=0.5x-60$
③ $y=-0.05x+60$　　④ $y=0.05x-60$
⑤ $y=-0.005x+60$

16 예림이와 준희가 달리기 시합을 하는데, 준희가 1 km 앞에서 출발하였다. 예림이는 1분에 300 m, 준희는 1분에 200 m의 일정한 속력으로 달린다. x분 후의 두 사람 사이의 거리를 y km라 할 때, 두 사람이 만나게 되는 것은 몇 분 후인지 구하여라.

중요도 ☐ 손도 못댐 ☐ 과정 실수 ☐ 틀린 이유:

17 다음 그림에서 두 개의 일차함수 $y=x$, $y=-2x+6$ 의 교점을 A라 하고 $y=-2x+6$의 x절편을 B라 할 때, 원점을 지나고 $\triangle$OAB의 넓이를 이등분하는 일차함수식을 구하여라.

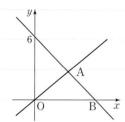

18 길이가 30 cm인 양초에 불을 붙인 후, 6시간 후 길이가 0 cm가 되었다. 시간이 지남에 따라 남은 양초의 길이를 y cm라 할 때, 불을 붙인지 5시간 후의 양초의 길이를 구하여라.

19 다음 그림과 같이 두 직선 $y=-x+4$, $y=x+2$와 x축으로 둘러싸인 삼각형의 넓이를 구하여라.

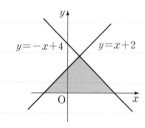

20 다음 세 직선 $3x+2y-7=0$, $2x-6y-5=0$, $4x-y+3=0$으로 만들어지는 삼각형을 x축의 방향으로 a만큼, y축의 방향으로 b만큼 각각 평행이동하면, 세 직선 $6x+4y-11=0$, $x-3y-13=0$, $4x-y+c=0$으로 만들어지는 삼각형과 겹치게 된다. 이 때, abc의 값을 구하여라.

중요도 ☐ 손도 못댐 ☐ 과정 실수 ☐ 틀린 이유:

21 오른쪽 그림에서 직선 l은 삼각형 AOB를 이등분한다. 직선 l을 그래프로 하는 일차함수의 식을 구하여라.

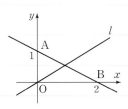

중요도 ☐ 손도 못댐 ☐ 과정 실수 ☐ 틀린 이유:

22 높이가 60 m인 30층 건물이 있다. 이 건물의 엘리베이터가 30층에서 매초 3 m의 빠르기로 한 층씩 내려온다고 한다. 출발한 지 x초 후의 지상으로부터 엘리베이터의 높이를 y m라 할 때, 이 엘리베이터가 지상으로부터 15 m인 곳에 도착하는 것은 출발한지 몇 초 후인지 구하여라.

중요도 ☐ 손도 못댐 ☐ 과정 실수 ☐ 틀린 이유:

23 자동차로 240 km 떨어진 곳까지 가는데 시속 x km로 y시간이 걸린다고 할 때, 시속 80 km로 달려 도착하는 데 걸리는 시간을 구하여라.

중요도 ☐ 손도 못댐 ☐ 과정 실수 ☐ 틀린 이유:

24 어느 자동차는 기름 1 L에 15 km를 달린다고 한다. 이 자동차로 일정한 속도로 달리는데 30분 동안 45 km를 달렸다. 달린 시간을 x 시간, 달린 거리를 y km라고 할 때 2시간 동안 쉬지 않고 일정한 속도로 달렸을 때 소비한 기름의 양을 구하여라.

14 일차함수와 일차방정식의 관계

학습목표 • 일차함수와 미지수가 2개인 일차방정식의 관계를 이해하고, 두 일차함수의 그래프를 통하여 연립방정식의 해를 구할 수 있다.

• $ax+by+c=0$ $\xrightarrow[\text{일차방정식}]{\text{그래프}}$ 직선 $\xleftarrow[\text{그래프}]{\text{일차함수}}$ $y=-\dfrac{a}{b}x-\dfrac{c}{b}$

 **기본 체크**

01
다음 일차방정식을 일차함수의 꼴로 나타내어라.

(1) $2x+y=4$
(2) $3x-y-3=0$
(3) $-4x+2y+1=0$
(4) $x+4y-12=0$

02
다음 그림은 연립방정식 $\begin{cases} x+y=4 \\ x-y=2 \end{cases}$ 의 해

를 구하기 위하여 두 일차방정식의 그래프를 각각 그린 것이다. 이 연립방정식의 해를 구하여라.

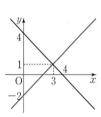

 **핵심 정리**

⚙️ **일차함수와 일차방정식의 관계**
미지수가 2개인 일차방정식 $ax+by+c=0$ (a, b, c는 상수, $a\neq 0, b\neq 0$)의 해를 나타내는 그래프는 일차함수

$y=-\dfrac{a}{b}x-\dfrac{c}{b}$의 그래프와 같은 직선이다.

⚙️ **일차방정식 $x=m$, $y=n$의 그래프**
① $x=m(m\neq 0)$의 그래프는 점 $(m, 0)$을 지나고 y축에 평행한 직선이다.
② $y=n(n\neq 0)$의 그래프는 점 $(0, n)$을 지나고 x축에 평행한 직선이다.

⚙️ **연립방정식의 해와 그래프**
연립방정식 $\begin{cases} ax+by=c \\ a'x+b'y=c' \end{cases}$ $(a\neq 0, a'\neq 0, b\neq 0, b'\neq 0)$

의 해는 두 일차방정식 $ax+by=c$, $a'x+b'y=c'$의 그래프인 두 직선의 교점의 x좌표, y좌표와 같다.
　　↳ 교점이 없으면 해가 없고, 교점이 무수히 많으면 해도 무수히 많다.
① 해가 무수히 많다: 두 그래프(방정식)가 일치한다.

$\dfrac{a}{a'}=\dfrac{b}{b'}=\dfrac{c}{c'}$

② 해가 없다: 두 그래프(방정식)는 평행이다.

$\dfrac{a}{a'}=\dfrac{b}{b'}\neq\dfrac{c}{c'}$

 **대표예제**

• 정답 및 풀이 36쪽

01 다음 물음에 답하여라.

(1) 일차방정식 $3x-y=1$을 변형하여 y를 x의 식으로 나타내어라.
(2) (1)에서 나타낸 식을 이용하여 일차방정식 $3x-y-1=0$의 그래프를 그려라.

풀이 (1) 일차방정식 $3x-y=1$을 변형하여 y를 x의 식으로 나타내면
$y=\boxed{}$과 같다.
(2) 일차함수 $y=3x-1$의 그래프는 기울기가 $\boxed{}$, y절편이 $\boxed{}$이므로 오른쪽 그림과 같이 그려진다.

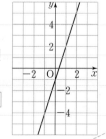

y에 대한 식으로 정리할 때에는 y는 좌항 x는 우항으로 옮긴다.

02 오른쪽 그림에서 각 직선의 방정식을 구하여라.

풀이 직선 ①이 ☐축에 평행하고 직선 위의 모든 점의 x좌표가 ☐
이므로 구하는 방정식은 ☐이다.
직선 ②가 ☐축에 평행하고 직선 위의 모든 점의 y좌표가

☐이므로 구하는 방정식은 ☐이다.

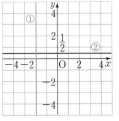

$x=0$은 y축을, $y=0$은 x축을 나타낸다.

03 연립방정식 $\begin{cases} x+y=1 \\ 2x+y=2 \end{cases}$ 를 그래프를 이용하여 풀어라.

풀이 연립방정식에서 각각 y를 x의 식으로 나타내면
$\begin{cases} y= \boxed{} \\ y= \boxed{} \end{cases}$
이고 두 일차함수의 그래프는 각각 오른쪽 그림과 같다.
이때 두 직선의 교점의 좌표는 (☐ , ☐)이므로 연립방정식의 해는
$x=$☐, $y=$☐이다.

두 개의 일차방정식으로 이루어진 연립방정식의 해는 두 일차방정식의 그래프의 교점의 x좌표, y좌표와 같다.

04 다음 연립방정식을 그래프를 이용하여 풀어라.

(1) $\begin{cases} x+y=1 \\ 2x+2y=2 \end{cases}$ (2) $\begin{cases} 3x-2y=-1 \\ 3x-2y=2 \end{cases}$

풀이 (1) 연립방정식에서 각각 y를 x의 식으로 나타내면
$\begin{cases} y= \boxed{} \\ y= \boxed{} \end{cases}$ 이고 오른쪽 그림과 같이 두 직선은 ☐
한다.
따라서 두 직선은 무수히 많은 점에서 만나므로
연립방정식의 해는 ☐

기울기와 y절편이 같은 두 직선은 일치한다.

(2) 연립방정식에서 각각 y를 x의 식으로 나타내면

$\begin{cases} y= \boxed{} \\ y= \boxed{} \end{cases}$ 이고 오른쪽 그림과 같이 서로

☐한 두 직선이다.

따라서 이 두 직선은 서로 만나지 않으므로 연립방정식의 해는 ☐

연립방정식의 해의 개수는 두 일차방정식의 계수의 비를 이용하면 쉽게 구할 수 있다.

연립방정식의 해

연립방정식에서 각 방정식의 그래프인 두 직선이 ⟶ 두 직선의 기울기는 같다.
① 한 점에서 만나면 연립방정식의 해는 하나이다. ② 일치하면 연립방정식의 해는 무수히 많다. ③ 평행하면 연립방정식의 해는 없다.

어떤 교과서에나 나오는 문제

01 다음 일차함수 중 그래프가 일차방정식
$3x - 2y - 4 = 0$의 그래프와 같은 것은?

① $y = \dfrac{3}{2}x + 4$ ② $y = -\dfrac{2}{3}x - 2$

③ $y = \dfrac{2}{3}x + 2$ ④ $y = \dfrac{3}{2}x - 2$

⑤ $y = -\dfrac{3}{2}x + 2$

02 다음 물음에 알맞은 직선을 나타내는 방정식을 〈보기〉
에서 모두 골라라.

> **보기**
>
> ㉠ $x + y - 1 = 0$ ㉡ $x - y = 0$
> ㉢ $3x - 2 = 0$ ㉣ $2x + 1 = 0$
> ㉤ $3 - y = 0$

(1) x축에 평행한 직선
(2) y축에 평행한 직선

03 두 점 $(-1, 2)$, $(-1, -6)$을 지나는 직선의 방정
식은?

① $y = 3x - 3$ ② $y = -4x + 6$
③ $y = 4x - 2$ ④ $x = -1$
⑤ $y = -1$

04 오른쪽 그림을 보고 연립방정식
$\begin{cases} x + 2y + 2 = 0 \\ 2x - y - 6 = 0 \end{cases}$ 의 해를 구하여
라.

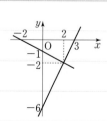

05 오른쪽 그림은 두 일차방정식 $ax-y=3$과 $x+by=4$의 그래프를 그린 것이다. $a-b$의 값은?

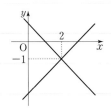

중요도 ☐ 손도 못댐 ☐ 과정 실수 ☐ 틀린 이유:

① 1   ② 2
③ 3   ④ 4
⑤ 5

06 두 일차방정식 $2x-y=3$과 $ax+3y=-12$의 그래프가 서로 평행할 때, 상수 a의 값을 구하여라.

중요도 ☐ 손도 못댐 ☐ 과정 실수 ☐ 틀린 이유:

07 직선 $x-3y-5=0$의 그래프와 평행하고 점 $(0, -6)$을 지나는 직선의 방정식을 구하여라.

중요도 ☐ 손도 못댐 ☐ 과정 실수 ☐ 틀린 이유:

08 두 직선 $y=ax-3$과 $y=3x+b$의 교점이 무수히 많을 때, 상수 a, b의 값을 각각 구하여라.

중요도 ☐ 손도 못댐 ☐ 과정 실수 ☐ 틀린 이유:

시험에 꼭 나오는 문제

01 일차방정식 $12x+3y-6=0$의 그래프에 대한 다음 설명 중 옳지 <u>않은</u> 것은?

① $y=-4x$의 그래프를 y축의 방향으로 2만큼 평행이동한 것이다.

② x절편은 $\dfrac{1}{2}$이다.

③ y축과의 교점의 좌표는 $(0,\,-2)$이다.

④ y절편은 2이다.

⑤ 제 1, 2, 4사분면을 지난다.

02 일차방정식 $ax+2y-12=0$의 그래프에서 기울기가 $\dfrac{3}{2}$일 때, 상수 a의 값은?

① -3 ② -2 ③ -1
④ 1 ⑤ 2

03 일차방정식 $-\dfrac{3}{4}x+\dfrac{1}{2}y-6=0$의 그래프의 x절편과 y절편의 합은?

① 2 ② 3 ③ 4
④ 5 ⑤ 6

04 두 일차방정식 $2x-y=3$과 $ax+3y=-12$의 그래프가 서로 평행할 때, 상수 a의 값은?

① -6 ② -4 ③ -2
④ 2 ⑤ 4

05 점 $(-3, 2)$를 지나고 y축에 수직인 직선의 방정식은?

중요도 ☐ 손도 못댐 ☐ 과정 실수 ☐ 틀린 이유:

① $x=-3$ ② $x=2$
③ $y=-3$ ④ $y=2$
⑤ $y=-x-1$

06 직선의 방정식 $ax+by+3=0$ 의 그래프가 오른쪽 그림과 같을 때, $a-b$의 값은? (단, 그림의 직선은 y축에 평행하다.)

중요도 ☐ 손도 못댐 ☐ 과정 실수 ☐ 틀린 이유:

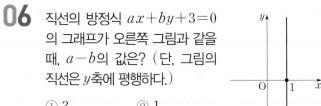

① 3   ② 1
③ 0   ④ -1
⑤ -3

07 다음 네 일차방정식들의 그래프로 둘러싸인 부분의 넓이를 구하여라.

중요도 ☐ 손도 못댐 ☐ 과정 실수 ☐ 틀린 이유:

$$2x=0, \ -3y=9, \ 5-2x=3, \ \frac{2}{5}y-4=0$$

08 두 점 $(2, 2a-3)$, $(-1, 5a+6)$을 지나는 직선이 y축에 수직일 때, 상수 a의 값은?

중요도 ☐ 손도 못댐 ☐ 과정 실수 ☐ 틀린 이유:

① -3 ② -2 ③ -1
④ 2   ⑤ 3

시험에 꼭 나오는 문제

09 연립방정식 $\begin{cases} ax+2y=6 \\ 4x-y=b \end{cases}$ 에서

각 방정식의 그래프가 오른쪽 그림과 같을 때, $a+b$의 값은?

① 11　　② 12
③ 13　　④ 14
⑤ 15

10 두 일차방정식 $x-y+2=0$, $y=ax+4$의 그래프의 교점의 x좌표가 1일 때, 상수 a의 값은?

① -1　　② 1　　③ 2
④ 3　　⑤ 4

11 두 일차방정식 $y=1-3x$, $y=x+3$의 그래프의 교점을 지나고, y축에 수직인 직선의 방정식은?

① $x=-1$　　② $y=2$　　③ $y=4$
④ $x=-\dfrac{1}{2}$　　⑤ $y=\dfrac{5}{2}$

12 연립방정식 $\begin{cases} 2x-3y=-1 \\ -x+ay=2 \end{cases}$ 의 해가 없을 때, 상수 a의 값은?

① $\dfrac{5}{2}$　　② 2　　③ $\dfrac{3}{2}$
④ 1　　⑤ $\dfrac{1}{2}$

13 연립방정식 $\begin{cases} 2x+3y=1 \\ 4x+6y=a \end{cases}$ 의 해가 없을 때, 상수 a의

값이 될 수 <u>없는</u> 것은?

중요도 ☐　손도 못댐 ☐　과정 실수 ☐　틀린 이유:

① 1　　　　② 2　　　　③ 3
④ 4　　　　⑤ 5

14 연립방정식 $\begin{cases} ax-3y=1 \\ 4x-by=2 \end{cases}$ 의 해가 무수히 많을 때, 상

수 a, b의 합 $a+b$의 값은?

중요도 ☐　손도 못댐 ☐　과정 실수 ☐　틀린 이유:

① 5　　　　② 6　　　　③ 7
④ 8　　　　⑤ 9

15 세 일차방정식 $x-3y=9$, $2x+y=4$,
$-ax+y=7$의 그래프가 한 점에서 만날 때, 상수 a
의 값은?

중요도 ☐　손도 못댐 ☐　과정 실수 ☐　틀린 이유:

① -3　　　　② -2　　　　③ -1
④ 2　　　　⑤ 3

16 연립방정식 $\begin{cases} 5x-2y=3 \\ ax+by-1=0 \end{cases}$ 의 해가 무수히 많을

때, 일차함수 $y=bx-a$의 그래프와 x축, y축으로 둘
러싸인 삼각형의 넓이를 구하여라.

중요도 ☐　손도 못댐 ☐　과정 실수 ☐　틀린 이유:

01 중요도 ☐ 손도 못댐 ☐ 과정 실수 ☐ 틀린 이유:

다음 중 y가 x의 일차함수인 것을 모두 고르면?

(정답 2개)

① 시속 x km로 달리는 자동차가 y시간 동안 달린 거리는 300 km이다.
② 200원짜리 지우개 1개와 x원짜리 공책 3권의 값은 y원이다.
③ 반지름의 길이가 x cm인 원의 넓이는 y cm²이다.
④ 가로, 세로의 길이가 각각 x cm, y cm인 직사각형의 넓이는 200 cm²이다.
⑤ 1인당 입장료가 x원일 때, 10명의 입장료는 y원이다.

02 중요도 ☐ 손도 못댐 ☐ 과정 실수 ☐ 틀린 이유:

$f(x)=ax+5$에 대하여 $f(1)=-3$일 때, 상수 a의 값을 구하여라.

03 중요도 ☐ 손도 못댐 ☐ 과정 실수 ☐ 틀린 이유:

600 L의 물이 들어 있는 물통이 있다. 1분에 5 L의 물을 x분간 퍼내었더니 y L가 남았다. x와 y 사이의 관계식은?

① $y=5x$
② $y=5x-600$
③ $y=5x+600$
④ $y=-5x+600$
⑤ $y=-5x-600$

04 중요도 ☐ 손도 못댐 ☐ 과정 실수 ☐ 틀린 이유:

일차함수 $y=4x$의 그래프를 y축의 방향으로 k만큼 평행이동한 그래프가 점 $(2, 5)$를 지날 때, 상수 k의 값은?

① -5
② -3
③ 3
④ 4
⑤ 5

05 중요도 ☐ 손도 못댐 ☐ 과정 실수 ☐ 틀린 이유:

일차방정식 $3x-y=7$의 그래프가 점 $(a, a-3)$을 지날 때, 상수 a의 값을 구하여라.

06 중요도 ☐ 손도 못댐 ☐ 과정 실수 ☐ 틀린 이유:

일차함수 $y=3x+1$의 그래프에 대한 설명으로 옳지 않은 것은?

① x의 값이 2만큼 증가하면 y의 값은 6만큼 증가한다.
② 일차함수 $y=3x-1$의 그래프와 평행하다.
③ 그래프는 제4사분면을 지나지 않는다.
④ 점 $(-1, -2)$를 지난다.
⑤ x절편은 -3이다.

07 중요도 ☐ 손도 못댐 ☐ 과정 실수 ☐ 틀린 이유:

다음 중 그 그래프가 일차함수 $y=-\dfrac{1}{2}x+1$의 그래프와 평행하고, 점 $(2, 2)$를 지나는 일차함수의 식은?

① $y=-2x+6$
② $y=2x-2$
③ $y=x+1$
④ $y=-\dfrac{1}{2}x+3$
⑤ $y=\dfrac{1}{2}x+2$

08 중요도 ☐ 손도 못댐 ☐ 과정 실수 ☐ 틀린 이유:

일차함수 $f(x)=-\dfrac{4}{5}x+2$에 대하여 $a+b=-1$일 때, $f(a)+f(b)$값을 구하여라.

09 중요도 ☐ 손도 못댐 ☐ 과정 실수 ☐ 틀린 이유:

두 일차함수 $y=-x+a$, $y=\dfrac{1}{2}x-3$의 그래프가 x축과 만나는 점을 각각 P, Q라 하자. $\overline{PQ}=10$일 때, 음수 a의 값을 구하여라.

10 중요도 ☐ 손도 못댐 ☐ 과정 실수 ☐ 틀린 이유:

일차함수 $f(x)=ax+b$의 그래프 위의 두 점 $(r, f(r))$, $(s, f(s))$에 대하여 $\dfrac{f(s)-f(r)}{s-r}=-3$, $f(2)=-4$일 때, $f(-1)$의 값을 구하여라.

11 중요도 ☐ 손도 못댐 ☐ 과정 실수 ☐ 틀린 이유:

점 $(a, -a)$을 지나는 일차함수 $y=3x-4$의 그래프를 y축 방향으로 $\dfrac{1}{a}$만큼 평행이동하였을 때, 그래프 위의 점 중에서 x좌표와 y좌표가 서로 같은 좌표를 (p, p)라고 할 때, p의 값을 구하여라.

12 중요도 ☐ 손도 못댐 ☐ 과정 실수 ☐ 틀린 이유:

일차함수 $y=-\dfrac{1}{2}x+6$의 그래프와 이 그래프를 y축 방향으로 -4만큼 평행이동한 그래프가 있다. 이 두 그래프와 x축, y축으로 둘러싸인 도형의 넓이를 구하여라.

13 중요도 ☐ 손도 못댐 ☐ 과정 실수 ☐ 틀린 이유:

일차방정식 $ax-2y=8$의 그래프가 점 $(3, -1)$을 지날 때, 이 그래프의 기울기를 구하여라. (단, a는 상수이다.)

14 중요도 ☐ 손도 못댐 ☐ 과정 실수 ☐ 틀린 이유:

세 점 $(-2, -k-2)$, $(-1, -1)$, $(1, k+3)$이 한 직선 위에 있을 때, 상수 k의 값은?

① 1　　　　② 2　　　　③ 3
④ 4　　　　⑤ 5

15 중요도 ☐ 손도 못댐 ☐ 과정 실수 ☐ 틀린 이유:

기울기가 $\dfrac{2}{3}$이고 $y=-3x+5$의 그래프와 y축에서 만나는 직선을 그래프로 하는 일차함수의 식은?

① $y=\dfrac{2}{3}x-\dfrac{5}{3}$　　　　② $y=\dfrac{2}{3}x+\dfrac{5}{3}$

③ $y=\dfrac{2}{3}x-3$　　　　④ $y=\dfrac{2}{3}x+5$

⑤ $y=\dfrac{2}{3}x-5$

16 중요도 ☐ 손도 못댐 ☐ 과정 실수 ☐ 틀린 이유:

오른쪽 그림은 일차함수 $y=ax-b$의 그래프이다. 다음 중 $y=-ax-b$의 그래프는?

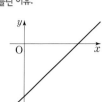

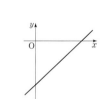

①　　　　②

③　　　　④

⑤

17 중요도 ☐ 손도 못댐 ☐ 과정 실수 ☐ 틀린 이유:

다음 일차함수의 그래프 중 두 점 $(1, -1)$, $(-1, 3)$을 지나는 직선을 그래프로 하는 일차함수의 식은?

① $y=-2x-1$　　　　② $y=-2x+1$
③ $y=x-2$　　　　④ $y=-2x+2$
⑤ $y=\dfrac{1}{2}x-1$

• 정답 및 풀이 38쪽

18 중요도 □ 손도 못댐 □ 과정 실수 □ 틀린 이유:

일차함수 $y=ax+1$의 그래프는 두 점 $(-1, 3)$, $(2, 9)$를 지나는 직선과 평행하고, 점 $(-2, b)$를 지난다. 이때 $a+b$의 값은? (단, a, b는 상수)

① -2 ② -1 ③ 0
④ 1 ⑤ 2

19 중요도 □ 손도 못댐 □ 과정 실수 □ 틀린 이유:

두 일차방정식 $ax+y=1$, $bx+ay=8$의 그래프가 오른쪽 그림과 같을 때, $a-b$의 값은?

(단, a, b는 상수)

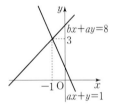

① 2 ② 4
③ 6 ④ 8 ⑤ 10

20 중요도 □ 손도 못댐 □ 과정 실수 □ 틀린 이유:

일차함수 $y=ax+8$의 그래프는 x절편이 2이고, 점 $(k, -4)$를 지날 때, $a+k$의 값은?

① -4 ② -2 ③ -1
④ 2 ⑤ 4

21 중요도 □ 손도 못댐 □ 과정 실수 □ 틀린 이유:

다음 중 직선 $y=-2x+k$가 두 점 $A(2, -1)$, $B\left(\dfrac{1}{4}, -4\right)$를 잇는 선분 AB와 만나도록 하는 상수 k의 값이 될 수 없는 것은?

① -4 ② -2 ③ 0
④ 1 ⑤ 3

22 중요도 □ 손도 못댐 □ 과정 실수 □ 틀린 이유:

두 일차방정식 $4x+y=-1$, $3x-2y=-9$의 그래프의 교점을 지나고, y축에 평행한 직선의 방정식은?

① $x=-6$ ② $x=-3$ ③ $x=-1$
④ $y=3$ ⑤ $y=-6$

23 중요도 □ 손도 못댐 □ 과정 실수 □ 틀린 이유:

평행한 두 일차함수 $y=\dfrac{1}{4}x+1$, $y=ax+b$의 그래프가 x축과 만나는 점을 각각 P, Q라 하면 $\overline{PQ}=5$이다. 이때 양수 b의 값을 구하여라.

24
중요도 ☐ 손도 못댐 ☐ 과정 실수 ☐ 틀린 이유:

세 일차방정식 $x-2y+1=0$, $2x+y-3=0$, $4x-y+a=0$의 그래프로 삼각형이 만들어지지 않도록 하는 상수 a의 값은?

① -3 ② -2 ③ -1
④ 0 ⑤ 1

25
중요도 ☐ 손도 못댐 ☐ 과정 실수 ☐ 틀린 이유:

다음 그림은 어떤 난로에 불을 붙여서 x시간 후에 남아 있는 석유의 양 y를 나타낸 것이다. 하루에 6시간씩 난로에 불을 피워 사용할 때, 며칠 동안 난로에 불을 피울 수 있는가?

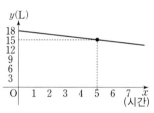

① 2일 ② 3일 ③ 4일
④ 5일 ⑤ 6일

26
🖉 서술형 중요도 ☐ 손도 못댐 ☐ 과정 실수 ☐ 틀린 이유:

일차함수 $y=-\dfrac{1}{2}x+2$의 그래프와 x축과의 교점의 좌표는 (a, b)이고, 이 그래프는 점 $(c, 5)$를 지난다. 세 상수 a, b, c에 대하여 $a+b+c$의 값을 구하여라.

27
중요도 ☐ 손도 못댐 ☐ 과정 실수 ☐ 틀린 이유:

길이가 30 cm인 양초가 있다. 불을 붙이면 4분마다 1 cm씩 짧아진다고 할 때, 초의 길이가 12 cm가 되는 것은 불을 붙인지 몇 분 후인지 구하여라.

28
중요도 ☐ 손도 못댐 ☐ 과정 실수 ☐ 틀린 이유:

두 점 $(4a-1, -1)$, $(3a+6, a)$를 지나는 직선이 x축에 수직일 때, 상수 a의 값을 구하여라.

29
중요도 ☐ 손도 못댐 ☐ 과정 실수 ☐ 틀린 이유:

그림과 같은 일차함수의 그래프와 일차함수 $mx+x-y=1$의 그래프가 평행할 때, 상수 m의 값을 구하여라.

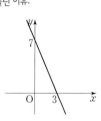

30
🖉 서술형 중요도 ☐ 손도 못댐 ☐ 과정 실수 ☐ 틀린 이유:

다음 세 일차방정식의 그래프로 둘러싸인 도형의 넓이를 구하여라.

$$y=0, \ x-y+2=0, \ x+2y-1=0$$

한눈에 보는 정답/오답 체크

01 유리수와 순환소수

번호	○/×
어떤 교과서에나 나오는 문제	
1	
2	
3	
4	
5	
6	
7	
8	
시험에 꼭 나오는 문제	
1	
2	
3	
4	
5	
6	
7	
8	
9	
10	
11	
12	
13	
14	
15	
16	

번호	○/×
꼭 나오는 문제	
6	
7	
8	
9	
10	
11	
12	
13	
14	
15	
16	
17	
18	

02 지수법칙

번호	○/×
어떤 교과서에나 나오는 문제	
1	
2	
3	
4	
5	
6	
7	
8	
시험에	
1	
2	
3	
4	
5	

03 단항식의 계산

번호	○/×
어떤 교과서에나 나오는 문제	
1	
2	
3	
4	
5	
6	
7	
8	
시험에 꼭 나오는 문제	
1	
2	
3	
4	
5	
6	
7	
8	
9	
10	
11	
12	
13	
14	
15	
16	

04 다항식의 계산

번호	○/×
어떤 교과서에나 나오는 문제	
1	
2	
3	
4	
5	
6	
7	
8	
시험에 꼭 나오는 문제	
1	
2	
3	
4	
5	
6	
7	
8	
9	
10	
11	
12	
13	
14	
15	
16	

05 부등식의 해와 성질

번호	○/×
어떤 교과서에나 나오는 문제	
1	
2	
3	
4	
5	
6	
7	
8	
시험에 꼭 나오는 문제	
1	
2	
3	
4	
5	
6	
7	
8	
9	
10	
11	
12	
13	
14	
15	
16	

06 일차부등식

번호	○/×
어떤 교과서에나 나오는 문제	
1	
2	
3	
4	
5	
6	
7	
8	
시험에 꼭 나오는 문제	
1	
2	
3	
4	
5	
6	
7	
8	
9	
10	
11	
12	
13	
14	
15	
16	

07 일차부등식의 활용

번호	○/×
어떤 교과서에나 나오는 문제	
1	
2	
3	
4	
5	
6	
7	
8	
시험에 꼭 나오는 문제	
1	
2	
3	
4	
5	
6	
7	
8	
9	
10	
11	
12	
13	

교과서
노트

중학 수학 **2** (상)
정답 및 해설

정답 및 풀이

I. 수와 식

1 유리수와 순환소수

본문 pp. 6~13

기본 체크

01 (4)

02 (1) $0.\dot{6}$　(2) $1.2\dot{5}$　(3) $0.\dot{3}\dot{6}$　(4) $4.1\dot{2}\dot{5}$

대표 예제

1 주어진 분수를 약분하여 기약분수로 나타낸 다음 분모를 소인수분해한다.

(1) $\dfrac{4}{15} = \dfrac{4}{3 \times 5}$ 는 분모에 소인수 $\boxed{3}$ 이 있으므로 유한소수로 나타낼 수 $\boxed{없다}$.

(2) $\dfrac{42}{100} = \dfrac{21}{50} = \dfrac{3 \times 7}{2 \times 5^2}$ 은 분모의 소인수가 $\boxed{2}$ 와 $\boxed{5}$ 뿐이므로 유한소수로 나타낼 수 $\boxed{있다}$.

2 각 분수를 기약분수로 고친 후 분모를 소인수분해하면 다음과 같다.

(1) $\dfrac{4}{11}$

(2) $\dfrac{5}{12} = \dfrac{5}{2^2 \times 3}$

(3) $\dfrac{7}{50} = \dfrac{7}{2 \times 5^2}$

(4) $\dfrac{9}{120} = \dfrac{3}{40} = \dfrac{3}{2^3 \times 5}$

따라서 분모에 $\boxed{2}$ 또는 $\boxed{5}$ 이외의 소인수가 있는 분수 $\boxed{\dfrac{4}{11}}$,

$\boxed{\dfrac{5}{12}}$ 는 순환소수로만 나타낼 수 있다.

3 순환소수 $0.5\dot{1}$ 을 x라고 하면

$x = 0.515151\cdots$　　　$\cdots$ ①

①의 양변에 $\boxed{100}$ 을 곱하면

$\boxed{100}\,x = 51.515151\cdots$　　　$\cdots$ ②

이때 ②에서 ①을 변끼리 빼면

$\boxed{99}\,x = \boxed{51}$

$$\begin{array}{r} 100x = 51.515151\cdots \\ -)\quad x = 0.515151\cdots \\ \hline 99x = 51 \end{array}$$

$\therefore x = \boxed{\dfrac{51}{99}} = \boxed{\dfrac{17}{33}}$

4 순환소수 $0.12\dot{8}$ 을 x라고 하면

$x = 0.128282828\cdots$　　　$\cdots$ ①

①의 양변에 $\boxed{10}$ 을 곱하면

$\boxed{10}\,x = 1.28282828\cdots$　　　$\cdots$ ②

또 ①의 양변에 $\boxed{1000}$ 을 곱하면

$\boxed{1000}\,x = 128.28282828\cdots$　　　$\cdots$ ③

이때 ③에서 ②를 변끼리 빼면

$\boxed{990}\,x = \boxed{127}$

$$\begin{array}{r} 1000x = 128.282828\cdots \\ -)\quad 10x = 1.282828\cdots \\ \hline 990x = 127 \end{array}$$

$\therefore x = \boxed{\dfrac{127}{990}}$

어떤 교과서에나 나오는 문제

출제율 100% 기본기 쌓기

| 01 ②, ③ | 02 ④ | 03 ③ | 04 ③ | 05 4 |
| 06 ② | 07 ② | 08 ③ | | |

1 ② $\dfrac{3}{2 \times 5^2} = \dfrac{6}{2^2 \times 5^2} = \dfrac{6}{100} = 0.06$

③ 주어진 분수가 유한소수인지 무한소수인지 결정하는 것은 분모를 소인수분해해서 분모의 소인수가 2나 5뿐인지를 살펴보면 된다. 이때 분자는 아무 상관이 없다.

분모의 소인수가 2와 5뿐이므로 유한소수이다.

2 분모를 소인수분해하였을 때 분모의 소인수가 2나 5뿐이면 그 분수는 유한소수로 나타낼 수 있다.

④ $x = 18$이면 $\dfrac{21}{5 \times 18} = \dfrac{7}{5 \times 2 \times 3}$ 이므로 무한소수가 된다.

3 분수 $\dfrac{7}{60} \times A = \dfrac{7}{2^2 \times 3 \times 5} \times A$가 유한소수가 되려면 분모의 소인수가 2나 5뿐이어야 하므로 3을 약분시킬 수 있는 수인 3의 배수를 곱하면 된다.

따라서 A의 값 중 가장 작은 자연수는 3이다.

4 ③ $4.122\cdots$ 의 순환마디는 2이다.

따라서 순환소수의 순환마디가 옳게 짝지어지지 않은 것은 ③이다.

5 순환소수 $0.3\dot{4}\dot{8}$ 에서 순환마디는 48이고, 되풀이되는 숫자는 2개이다.

$50 - 1 = 2 \times 24 + 1$

이므로 소수점 아래 50번째 자리의 숫자는 48이 24번 반복된 후 순환마디의 1번째 숫자인 4이다.

6 ② 순환마디는 반드시 소수점 아래에서 처음으로 반복되는 것을 찾아야 하므로 점을 찍어 나타내면 $2.\dot{3}\dot{2}$이다.

7 $\dfrac{1}{3} < 0.\dot{x} < \dfrac{7}{9}$ 은 $\dfrac{1}{3} < \dfrac{x}{9} < \dfrac{7}{9}$, $\dfrac{3}{9} < \dfrac{x}{9} < \dfrac{7}{9}$ 이므로

x의 값은 4, 5, 6이다.

따라서 한 자리의 자연수 x의 개수는 3이다.

8 $0.\dot{4}\dot{5} = \dfrac{45}{99} = \dfrac{5}{11}$

$\dfrac{5}{11} \times a$가 자연수가 되려면 a는 11의 배수이어야 한다.

따라서 a의 값이 될 수 없는 것은 ③ 45이다.

시험에 꼭 나오는 문제 기출 베스트 컬렉션

01 ③	02 ③, ⑤	03 ③	04 ④	05 ④
06 ③	07 ④	08 126	09 ④	10 ③
11 ④	12 ⑤	13 ②	14 ②	15 ②
16 42				

1 ③ 유한소수를 기약분수로 나타내면 분모의 소인수는 모두 2나 5뿐이다.

2 기약분수의 분모를 소인수분해하였을 때 분모의 소인수가 2나 5뿐이면 그 분수는 유한소수로 나타낼 수 있다.

③ $\dfrac{8}{2 \times 3 \times 5}$을 약분하면 $\dfrac{4}{3 \times 5}$

⑤ $\dfrac{4}{2^4 \times 11}$를 약분하면 $\dfrac{1}{2^2 \times 11}$

따라서 ③, ⑤는 순환소수이다.

3 무한소수는 $0.1222\cdots$, $\dfrac{10}{27}$, π로 모두 3개이다.

4 분수 $\dfrac{4}{25} = \dfrac{4}{5^2}$의 분자와 분모에 각각 2^2을 곱하면

$\dfrac{4}{25} = \dfrac{4 \times 2^2}{5^2 \times 2^2} = \dfrac{16}{10^2}$

$\therefore n + x = 2 + 16 = 18$

5 140을 소인수분해하면 $2^2 \times 5 \times 7$이다.
유한소수가 되려면 분모의 소인수가 2나 5뿐이어야 하므로 7을 약분시킬 수 있는 수인 7의 배수를 곱하면 된다.
따라서 A의 값 중 가장 작은 자연수는 7이다.

6 $\dfrac{a}{90} = \dfrac{a}{2 \times 3^2 \times 5}$이므로 a는 9의 배수이다.
9의 배수 중 가장 작은 두 자리 자연수 a는 18이다.

7 $\dfrac{3}{28} = \dfrac{3}{2^2 \times 7}$에 x를 곱하여 유한소수가 되려면 x는 7의 배수여야 한다.

$\dfrac{13}{120} = \dfrac{13}{2^3 \times 3 \times 5}$에 x를 곱하여 유한소수가 되려면 x는 3의 배수여야 한다.

따라서 x는 3과 7의 공배수, 즉 21의 배수이다.
21의 배수 중에서 가장 작은 자연수는 21이다.

$\therefore x = 21$

8 $\dfrac{x}{180} = \dfrac{x}{2^2 \times 3^2 \times 5}$가 유한소수가 되려면 x의 값은 9의 배수여

야 한다.
또한 x는 7의 배수라고 하였으므로 x는 9와 7의 공배수인 63의 배수이다.
x가 150보다 작은 세 자리 수이므로 x의 값은 126이다.

9 순환소수 $4.8353535\cdots$에서 되풀이되는 부분은 35이므로 순환마디는 35이다.
$7.151515\cdots$에서 되풀이되는 부분은 15이므로 순환마디는 15이다.

따라서 $a = 35$, $b = 15$이므로
$a + b = 35 + 15 = 50$

10 순환소수 $0.\dot{1}23\dot{8}$에서 순환마디는 1238이고, 되풀이되는 숫자는 4개이다.

$50 = 4 \times 12 + 2$

이므로 소수점 아래 50번째 자리의 숫자는 1238이 12번 반복된 후 순환마디의 2번째 숫자인 2이다.

11 소수 부분이 없어지도록 하기 위해 필요한 식은
④ $1000x - 10x$이다.

12 ⑤ $0.\dot{6}5\dot{7} = \dfrac{657}{999} = \dfrac{73}{111}$

13 $0.4 + 0.03 + 0.003 + 0.0003 + \cdots = 0.4\dot{3}$

분수로 나타내면 $0.4\dot{3} = \dfrac{39}{90} = \dfrac{13}{30}$

따라서 $a = 30$, $b = 13$이므로
$a - b = 30 - 13 = 17$

14 $1.\dot{1} = \dfrac{10}{9}$이므로 $\dfrac{10}{9} \times a$가 자연수가 되려면 a는 9의 배수이어야 한다.

따라서 a의 값이 될 수 없는 것은 ② 10이다.

15 $1.3\dot{6} = \dfrac{123}{90} = \dfrac{41}{30} = \dfrac{41}{2 \times 3 \times 5}$이므로 3의 배수를 곱하면 된다.

따라서 곱해야 할 가장 작은 자연수는 3이다.

16 $0.1\dot{6}x - 0.16x = 0.2\dot{8}$이므로

$\dfrac{15}{90}x - \dfrac{16}{100}x = \dfrac{28}{100}$

$\dfrac{1}{6}x - \dfrac{4}{25}x = \dfrac{7}{25}$

양변에 6과 25의 최소공배수인 150을 곱하면
$25x - 24x = 42$

$\therefore x = 42$

2 지수법칙

본문 pp. 14~21

기본 체크

01 (1) a^8 (2) a^6 (3) $\dfrac{a^2}{b^2}$

02 (1) a (2) 1 (3) $\dfrac{1}{a^2}$

대표 예제

1 (1) $a^3 \times a^7 = a^{\boxed{3+7}} = a^{\boxed{10}}$

(2) $x \times x^2 \times x^3 = x^{\boxed{1+2}} \times x^3 = x^{\boxed{3}} \times x^3$
$= x^{\boxed{3+3}} = x^{\boxed{6}}$

(3) $a^2 \times a^3 \times a^4 = a^{\boxed{2+3}} \times a^4 = a^{\boxed{5}} \times a^4$
$= a^{\boxed{5+4}} = a^{\boxed{9}}$

(4) $x \times y^3 \times x^4 \times y^5 = x \times x^4 \times y^3 \times y^5 = x^{\boxed{1+4}} \times y^{\boxed{3+5}}$
$= x^{\boxed{5}} \times y^{\boxed{8}} = \boxed{x^5 y^8}$

2 (1) $(a^3)^5 = a^{\boxed{3\times5}} = a^{\boxed{15}}$

(2) $(x^2)^3 \times x^5 = x^{\boxed{2\times3}} \times x^5 = x^{\boxed{6}} \times x^5$
$= x^{\boxed{6+5}} = x^{11}$

3 (1) $(ab^2)^3 = a^{\boxed{3}}(b^2)^{\boxed{3}} = a^{\boxed{3}}b^{\boxed{6}}$

(2) $\left(\dfrac{x}{y}\right)^3 = \dfrac{x^{\boxed{3}}}{(y^2)^{\boxed{3}}} = \dfrac{x^{\boxed{3}}}{y^{\boxed{2\times3}}} = \dfrac{x^{\boxed{3}}}{y^{\boxed{6}}}$

4 (1) $a^6 \div a^4 = a^{\boxed{6-4}} = a^{\boxed{2}}$

(2) $x^4 \div x^7 = \dfrac{1}{x^{\boxed{7-4}}} = \dfrac{1}{x^{\boxed{3}}}$

5 (1) $a^7 \div a^4 \div a^2 = a^{\boxed{7-4}} \div a^2$
$= a^{\boxed{3}} \div a^2$
$= a^{\boxed{3-2}}$
$= \boxed{a}$

(2) $(x^2)^3 \div (x^2)^5 = x^{\boxed{2\times3}} \div x^{\boxed{2\times5}}$
$= x^{\boxed{6}} \div x^{\boxed{10}}$
$= \dfrac{1}{x^{\boxed{10-6}}}$
$= \dfrac{1}{x^{\boxed{4}}}$

어떤 교과서에나 나오는 문제

출제율 100% 기본기 쌓기

01 ②   02 ③   03 a^{12} 04 ③   05 ⑤
06 ②   07 ③   08 ②

1 ① $a^2 \times a^6 = a^{2+6} = a^8$
③ $a^4 \div a^4 = 1$
④ $a^8 \div a^4 = a^{8-4} = a^4$
⑤ $\left(\dfrac{a^2}{b}\right)^3 = \dfrac{a^6}{b^3}$

2 $x^\square \times x^3 = x^{10}$에서 $x^{\square+3} = x^{10}$
∴ $\square = 7$

3 (정사각형의 넓이) $= (a^6)^2 = a^{12}$

4 $(a^3 b^x)^4 = a^{3\times4} b^{x\times4} = a^{12} b^{4x} = a^y b^8$
에서 $x=2$, $y=12$
∴ $x+y = 2+12 = 14$

5 ⑤ $\left(\dfrac{3x}{y^2}\right)^4 = \dfrac{81x^4}{y^8}$

6 $16^3 = (2^4)^3 = 2^{12}$이므로 $a=4$, $b=12$
∴ $a+b = 4+12 = 16$

7 $\left(\dfrac{2x^a}{y^2}\right)^2 = \dfrac{8x^{12}}{y^b}$에서 $\dfrac{8x^{3a}}{y^6} = \dfrac{8x^{12}}{y^b}$
$b=6$, $3a=12$
∴ $a=4$

8 $(x^4)^a \times x^2 = x^{10}$에서
$x^{4a+2} = x^{10}$
$4a+2 = 10$, $4a = 8$
∴ $a=2$

시험에 꼭 나오는 문제

기출 베스트 컬렉션

01 ④   02 ⑤   03 ⑤   04 ②   05 a^{12}
06 ②, ③   07 ④   08 ③   09 ③   10 ⑤
11 ③   12 ①   13 ②   14 ⑤   15 ⑤
16 ④   17 ③   18 ②

1 ④ $a^3 \div a^9 = \dfrac{1}{a^6}$

2 ①, ②, ③, ④는 모두 a^9
⑤ $a^2 \div (a^3)^2 \times a^5 = a^2 \div a^6 \times a^5 = a$

6 각각 □ 안에 들어갈 수는
①은 6, ②는 3, ③은 8, ④는 5, ⑤는 2이다.
따라서 □ 안에 들어갈 수가 가장 작은 것은 ⑤이다.

4 $2^4 \times 2^x = 64$에서 $2^{4+x} = 2^6$
$4+x=6$이므로
$\therefore x=2$

5 (정육면체의 부피)$=(a^4)^3 = a^{12}$

6 $a^{12} \div a^3 \div a^2 = a^{12-3-2} = a^7$
① $a^{12} \div (a^3 \div a^2) = a^{12} \div a = a^{11}$
② $a^{12} \div (a^3 \times a^2) = a^{12} \div a^5 = a^7$
③ $(a^{12} \div a^3) \div a^2 = a^9 \div a^2 = a^7$
④ $\dfrac{a^3}{a^{12}} \div a^2 = \dfrac{1}{a^9} \div a^2 = \dfrac{1}{a^{11}}$
⑤ $\dfrac{a^3 \times a^2}{a^{12}} = \dfrac{a^5}{a^{12}} = \dfrac{1}{a^7}$

7 (직육면체의 높이)=(부피)÷(밑넓이)이므로
(직육면체의 높이)$= x^{15} \div (x^4 \times x^3) = x^{15} \div x^7 = x^8$

8 $81^{10} \div 3^{10} \div 9^{10}$
$= (3^4)^{10} \div 3^{10} \div (3^2)^{10}$
$= 3^{40} \div 3^{10} \div 3^{20}$
$= 3^{10}$

9 (가) $(2^3)^a \times 2^3 = 2^{18}$
$2^{3a+3} = 2^{18}$, $3a+3=18$
$\therefore a=5$
(나) $4^5 \div (2^b)^3 = \dfrac{1}{4}$
$(2^2)^5 \div (2^b)^3 = \dfrac{1}{2^2}$
$2^{10} \div 2^{3b} = \dfrac{1}{2^2}$
$3b-10=2$
$\therefore b=4$
$\therefore a-b = 5-4 = 1$

10 $3^x \times 27 = 81^4$에서 $3^x \times 3^3 = (3^4)^4$
$3^x \times 3^3 = 3^{16}$, $x+3=16$
$\therefore x=13$

11 $8^5 = (2^3)^5 = 2^{15} = (2^5)^3 = A^3$

12 $\left(-\dfrac{3x^b}{y}\right)^3 = \dfrac{(-3)^3 \times x^{3b}}{y^3} = \dfrac{ax^6}{y^c}$ 에서
$a=-27$, $c=3$
$3b=6$ $\therefore b=2$
$\therefore \dfrac{a}{c}+b = \dfrac{-27}{3}+2 = -9+2 = -7$

13 (가) $(x^3)^a \div x^{11} = \dfrac{1}{x^2}$ 에서 $x^{3a} \div x^{11} = \dfrac{1}{x^2}$이므로

$x^{3a} = x^9$이다.
$3a=9$ $\therefore a=3$
(나) $(3x^b)^c = 27x^{12}$에서 $3^c x^{bc} = 3^3 x^{12}$
$c=3$, $bc=12$ $\therefore b=4$
$\therefore a+b-c = 3+4-3 = 4$

14 $(-3x^3)^2 \times (x^a)^2 \div x^5 = bx^9$에서
$9x^6 \times x^{2a} \div x^5 = bx^9$
$6+2a-5=9$, $2a=8$
$\therefore a=4$, $b=9$
$\therefore a+b = 4+9 = 13$

15 $12^6 = (2^2 \times 3)^6$
$= 2^{12} \times 3^6$
$= (2^4)^3 \times (3^3)^2$
$= A^3 B^2$

16 $72^5 = (2^3 3^2)^5 = 2^a \times 3^b$에서
$2^{15} \times 3^{10} = 2^a \times 3^b$이므로 $a=15$, $b=10$
$\therefore a+b = 15+10 = 25$

17 시간당 3^2마리씩 증식하여 5시간이 지난 후에는
$(3^2)^5 = 3^{10}$(마리) 증식된다.

18 $2^{10} \times 5^7 = 2^3 \times 2^7 \times 5^7 = 2^3 \times (2 \times 5)^7 = 2^3 \times 10^7$
$= 80000000$
따라서 8자리 자연수이다.

3 단항식의 계산

본문 pp. 22~29

기본 체크

01 (1) $6xy$ (2) $4x^2y$

02 (1) $2a$ (2) $-x$

대표 예제

1 (1) $2x \times 5y = 2 \times \boxed{5} \times x \times \boxed{y} = \boxed{10xy}$

(2) $(-3x)^2 \times 2y = (-3)^2 \times \boxed{x^2} \times 2 \times \boxed{y}$
$= 9 \times 2 \times \boxed{x^2} \times y$
$= \boxed{18x^2y}$

2 (1) $9a^3b^2 \div 3ab^2 = \dfrac{9a^3b^2}{3ab^2} = 3a^2$

(2) $(-x^2y)^2 \div 4x = \dfrac{(-x^2y)^2}{\boxed{4x}}$
$= \dfrac{\boxed{x^4y^2}}{4x} = \boxed{\dfrac{x^3y^2}{4}}$

3 (1) $12ab^2 \div 4a^2b^2 \times 3ab^2 = 12ab^2 \times \boxed{\dfrac{1}{4a^2b^2}} \times 3ab^2$
$= \boxed{\dfrac{36a^2b^4}{4a^2b^2}}$
$= \boxed{9b^2}$

(2) $6x^2y^2 \div 2x^2y \div x^2 = 6x^2y^2 \times \boxed{\dfrac{1}{2x^2y}} \times \boxed{\dfrac{1}{x^2}}$
$= \boxed{\dfrac{6x^2y^2}{2x^4y}}$
$= \boxed{\dfrac{3y}{x^2}}$

(3) $6ab^2 \times (-a^3) \div 2b^2$
$= 6ab^2 \times (-a^3) \times \boxed{\dfrac{1}{2b^2}}$
$= 6 \times (-1) \times \dfrac{1}{2} \times a \times a^3 \times b^2 \times \dfrac{1}{b^2}$
$= (-3) \times \boxed{a^4}$
$= \boxed{-3a^4}$

(4) $(3x^4y^3)^2 \div x^3y^2 \times (2x^2y)^3$
$= 9x^8y^6 \times \boxed{\dfrac{1}{x^3y^2}} \times 8x^6y^3$
$= 9 \times 8 \times x^8 \times \dfrac{1}{x^3} \times x^6 \times y^6 \times \dfrac{1}{y^2} \times y^3$
$= 72 \times \boxed{x^{11}} \times \boxed{y^7}$
$= \boxed{72x^{11}y^7}$

어떤 교과서에나 나오는 문제

출제율 100% 기본기 쌓기

01 ③	02 12	03 ③	04 ②	05 $-9x^5y^2$
06 ①	07 ④	08 $5ab^2$		

1 ③ $(-2a)^3 \times 3a^2 = (-8a^3) \times 3a^2 = -24a^5$

2 계수가 -27이므로
$(3ab^2)^{\boxed{3}} \times (-a^\square b) = -27a^5b^\square$
a항만 살펴보면, $a^3 \times a^\square = a^5$이므로
$(3ab^2)^{\boxed{3}} \times (-a^{\boxed{2}}b) = -27a^5b^\square$
b항만 살펴보면, $b^6 \times b = b^\square$이므로
$(3ab^2)^{\boxed{3}} \times (-a^{\boxed{2}}b) = -27a^5b^{\boxed{7}}$
따라서 구하는 합은 $3 + 2 + 7 = 12$

3 $(3xy^3)^2 \times (x^2y)^a = 9x^8y^9$에서
$9x^2y^6 \times x^{2a}y^a = 9x^8y^9$
$9x^{2+2a}y^{6+a} = 9x^8y^9$
$2 + 2a = 8$, $6 + a = 9$
$\therefore a = 3$

4 ② $(-2x^3) \div (-8x^6) = \dfrac{1}{4x^3}$

5 $\square = 36x^5y^3 \div (-4y) = -9x^5y^2$

6 $A \div (-5xy^3) = 20x^4y$
$\therefore A = 20x^4y \times (-5xy^3) = -100x^5y^4$

7 $32a^4b^2 \div (-8a^2b) \times \square = 2ab^3$에서
$(-4a^2b) \times \square = 2ab^3$
$\therefore \square = \dfrac{2ab^3}{-4a^2b} = -\dfrac{b^2}{2a}$

8 $(4a)^2 \times (높이) = 80a^3b^2$에서
$16a^2 \times (높이) = 80a^3b^2$
$\therefore (높이) = 80a^3b^2 \div 16a^2 = 5ab^2$

시험에 꼭 나오는 문제

기출 베스트 컬렉션

01 ⑤	02 ⑤	03 ⑤	04 ④	
05 $-2a^{10}b^7$	06 ②	07 $48a^4b$	08 ①	09 ②
10 ④	11 ③	12 ②	13 $6a^2b^2$	14 $4a^3$
15 $256x^5y^8$	16 $6a^2b^3$			

1 ⑤ $(-5a^2b)^2 \times (-6ab^2) = 25a^4b^2 \times (-6ab^2)$
$= -150a^5b^4$

2 ⑤ $3xy^4 \div \left(-\dfrac{1}{3}xy\right)^2 = 3xy^4 \div \dfrac{1}{9}x^2y^2 = \dfrac{27y^2}{x}$

3 $(6ab^3)^2 \div \left(\dfrac{3a}{b^2}\right)^2 \times \left(\dfrac{2a^2}{b}\right)^3$

$= 36a^2b^6 \div \dfrac{9a^2}{b^4} \times \dfrac{8a^6}{b^3}$

$= 36a^2b^6 \times \dfrac{b^4}{9a^2} \times \dfrac{8a^6}{b^3}$

$= 32a^6b^7$

4 $(-3x^3y^2)^2 \div (xy^3)^a = \dfrac{9x^2}{y^8}$ 에서

$9x^6y^4 \div x^ay^{3a} = \dfrac{9x^2}{y^8}$

$6-a=2,\ 3a-4=8$

$\therefore a=4$

5 $\boxed{} \div (-2a^2b^3)^3 = \dfrac{a^4}{4b^2}$ 에서

$\boxed{} \div (-8a^6b^9) = \dfrac{a^4}{4b^2}$

$\therefore \boxed{} = \dfrac{a^4}{4b^2} \times (-8a^6b^9) = -2a^{10}b^7$

6 $(-3x^2y^3)^3 \times (2xy^2)^2 \div 18x^5y^8$

$= -27x^6y^9 \times 4x^2y^4 \div 18x^5y^8$

$= -6x^3y^5$

$= ax^by^c$

따라서 $a=-6,\ b=3,\ c=5$이므로

$a+b+c=-6+3+5=2$

7 (어떤 식) $\div \dfrac{4a}{b} = 3a^2b^3$ 에서

(어떤 식) $= 3a^2b^3 \times \dfrac{4a}{b} = 12a^3b^2$

따라서 옳게 계산하면

$12a^3b^2 \times \dfrac{4a}{b} = 48a^4b$

8 $54x^5y^3 \div (-3xy^2)^2 \div (-2x^2y)$

$= 54x^5y^3 \div 9x^2y^4 \div (-2x^2y)$

$= \dfrac{6x^3}{y} \div (-2x^2y)$

$= -\dfrac{3x}{y^2}$

9 $12a^2b^4 \times \boxed{} \div (-2a^4b) = 3ab^5$ 에서

$12a^2b^4 \times \boxed{} = 3ab^5 \times (-2a^4b) = -6a^5b^6$

$\therefore \boxed{} = -6a^5b^6 \div 12a^2b^4 = -\dfrac{a^3b^2}{2}$

10 $(-16a^4) \div \left(-\dfrac{1}{8}a^6\right) \times \boxed{} = 32a^5$ 에서

$\dfrac{128}{a^2} \times \boxed{} = 32a^5$

$\therefore \boxed{} = 32a^5 \div \dfrac{128}{a^2} = \dfrac{a^7}{4}$

11 한 모서리의 길이를 A라고 하면

$6A^2 = 96x^6y^8$에서

$A^2 = 16x^6y^8 = (4x^3y^4)^2$

$\therefore A = 4x^3y^4$

12 $\pi(6a)^2 \times (높이) \times \dfrac{1}{3} = 48\pi a^3b^2$에서

$12\pi a^2 \times (높이) = 48\pi a^3b^2$

$\therefore (높이) = 48\pi a^3b^2 \div 12\pi a^2 = 4ab^2$

13 가로, 세로, 대각선에 적힌 단항식의 곱은

$6a^2b \times 3ab^2 \times (-2a^2b) = -36a^5b^4$

(오른쪽 맨 위) $= (-36a^5b^4) \div \{6a^2b \times (-2a^2b^2)\}$

$= (-36a^5b^4) \div (-12a^4b^3)$

$= 3ab$

$\therefore A = (-36a^5b^4) \div \{3ab \times (-2a^2b)\}$

$= (-36a^5b^4) \div (-6a^3b^2)$

$= 6a^2b^2$

14 $(8a^2b)^2 = 16ab^2 \times (세로의 길이)$

$\therefore (세로의 길이) = (8a^2b)^2 \div 16ab^2$

$= 64a^4b^2 \div 16ab^2$

$= 4a^3$

15 5번째 칸에 들어갈 식은 $2xy \times 4xy^2 = 8x^2y^3$

6번째 칸에 들어갈 식은 $4xy^2 \times 8x^2y^3 = 32x^3y^5$

따라서 7번째 칸에 들어갈 식은

$8x^2y^3 \times 32x^3y^5 = 256x^5y^8$

16 $\left(\dfrac{1}{2} \times 5ab \times 4b\right) \times (높이) = 60a^3b^5$에서

$10ab^2 \times (높이) = 60a^3b^5$

$\therefore (높이) = 60a^3b^5 \div 10ab^2 = 6a^2b^3$

4 다항식의 계산

본문 pp. 30~37

기본 체크

01 (1) $3x^2+4x+5$ (2) y^2+2y-7

02 (1) $2a^2$ (2) x^2-xy

      (3) $x+2y$ (4) $ab+3a+2b+6$

대표 예제

1 (1) $(3x^2-4x+1)+(x^2+5x+3)$
$$=3x^2-4x+1+x^2+5x+3$$
$$=3x^2+x^2-4x+5x+1+3$$
$$=(3+\boxed{1})x^2+(-4+\boxed{5})x+1+\boxed{3}$$
$$=\boxed{4x^2+x+4}$$

(2) $(4y^2-y+2)-(y^2+2y-7)$
$$=4y^2-y+2-y^2-2y+7$$
$$=4y^2-y^2-y-2y+2+7$$
$$=(4-\boxed{1})y^2+(-1-\boxed{2})y+2+\boxed{7}$$
$$=\boxed{3y^2-3y+9}$$

2 (1) $2a(a-b)+3a(a+2b)=2a^2-\boxed{2ab}+3a^2+\boxed{6ab}$
$$=2a^2+3a^2-\boxed{2ab}+\boxed{6ab}$$
$$=\boxed{5a^2+4ab}$$

(2) $3x(x+y)-2x(4x+y)=3x^2+\boxed{3xy}-\boxed{8x^2}-2xy$
$$=3x^2-\boxed{8x^2}+\boxed{3xy}-2xy$$
$$=\boxed{-5x^2+xy}$$

3 [방법 1] $(5x^2+15xy)\div 5x=\dfrac{5x^2+15xy}{\boxed{5x}}$
$$=\dfrac{5x^2}{\boxed{5x}}+\dfrac{15xy}{\boxed{5x}}$$
$$=\boxed{x+3y}$$

[방법 2] $(5x^2+15xy)\div 5x=(5x^2+15xy)\times\dfrac{1}{5x}$
$$=5x^2\times\dfrac{1}{\boxed{5x}}+15xy\times\dfrac{1}{\boxed{5x}}$$
$$=\boxed{x+3y}$$

4 (1) $(2x+3)(x+4)=\boxed{2x}\times x+\boxed{2x}\times 4+\boxed{3}\times x+\boxed{3}\times 4$
$$=\boxed{2x^2}+8x+\boxed{3x}+12$$
$$=\boxed{2x^2+11x+12}$$

(2) $(x+2y)(3x-y)$
$$=x\times\boxed{3x}+x\times(\boxed{-y})+2y\times\boxed{3x}+2y\times(\boxed{-y})$$

$$=3x^2-\boxed{xy}+6xy-\boxed{2y^2}$$
$$=\boxed{3x^2+5xy-2y^2}$$

어떤 교과서에나 나오는 문제

출제율 100% 기본기 쌓기

01 ⑤	02 ③	03 $4x^2-5x+6$	04 ④
05 ①	06 ④	07 ⑤	08 ④

1 $(3x-2y)-(6x-7y)=ax+by$에서
$$3x-2y-6x+7y=ax+by$$
$$-3x+5y=ax+by$$
$$\therefore a=-3,\ b=5$$
$$\therefore a+b=(-3)+5=2$$

2 $2(2x^2-3x+1)-(5x^2+Ax-3)=Bx^2-2x+C$에서
$$4x^2-6x+2-5x^2-Ax+3=Bx^2-2x+C$$
$$-x^2+(-6-A)x+5=Bx^2-2x+C$$이므로
$$B=-1,\ C=5$$
$$-6-A=-2$$
$$\therefore A=-4$$
$$\therefore A+B+C=(-4)+(-1)+5=0$$

3 (어떤 식) $-(3x^2-2x+1)=x^2-3x+5$
$$\therefore (어떤\ 식)=x^2-3x+5+(3x^2-2x+1)$$
$$=4x^2-5x+6$$

4 $-2x(x^2-5x+2)=ax^3+bx^2+cx$에서
$$-2x^3+10x^2-4x=ax^3+bx^2+cx$$이므로
$$a=-2,\ b=10,\ c=-4$$
$$\therefore a+b+c=(-2)+10+(-4)=4$$

5 $2x(3x+y)-3y(y-x+2)$
$$=6x^2+2xy-3y^2+3xy-6y$$
$$=6x^2+5xy-3y^2-6y$$
$$\therefore a=-3,\ b=5$$
$$\therefore ab=(-3)\times 5=-15$$

6 $(4x^2y-12xy^2)\div xy$
$$=4x^2y\div 4xy-12xy^2\div 4xy$$
$$=x-3y$$

7 $x(-x+2)+(9x^3-3x^2)\div 3x$
$$=-x^2+2x+3x^2-x$$
$$=2x^2+x$$
$$\therefore a=2,\ b=1$$
$$\therefore a+b=2+1=3$$

8 (직육면체의 높이) = (부피) ÷ (밑넓이)이므로

(직육면체의 높이)$=(24a^2b-30ab^3)\div 6ab$
$=4a-5b^2$

01 ④	02 ①	03 ③	04 ①, ④	05 ②
06 ④	07 ①	08 ④	09 $5x^2-7x-2$	
10 ⑤	11 ③	12 $32a^3b^2-48a^2b^3$		
13 ④	14 ①	15 $4x^2+3y$		16 $12a-6b$

1 $4(3a-5b)-3(2a-7b)=12a-20b-6a+21b$
$=6a+b$

2 $(4a-9b-1)-($어떤 식$)=5a-6b-2$에서
$($어떤 식$)=(4a-9b-1)-(5a-6b-2)$
$($어떤 식$)=4a-9b-1-5a+6b+2$
$=-a-3b+1$
따라서 옳게 계산하면
$(4a-9b-1)+(-a-3b+1)=3a-12b$

3 $x-[3x-7y-\{5x+y-(x-\boxed{})\}]=-2x+11y$에서
$x-(3x-7y-5x-y+x-\boxed{})=-2x+11y$
$x-(-x-8y-\boxed{})=-2x+11y$
$2x+8y+\boxed{}=-2x+11y$
$\therefore \boxed{}=-2x+11y-(2x+8y)=-4x+3y$

4 x에 대한 이차식은 x에 대한 다항식 중에서 최고 차수가 2인 다항식이므로 ①, ④이다.

5 $2A-5B=2(2x^2-5x-2)-5(x^2-3x-1)$
$=4x^2-10x-4-5x^2+15x+5$
$=-x^2+5x+1$

6 $($어떤 식$)-(3x^2-4x-2)=2x^2+x-6$에서
$($어떤 식$)=(2x^2+x-6)+(3x^2-4x-2)$
$($어떤 식$)=5x^2-3x-8$
따라서 옳게 계산하면
$(5x^2-3x-8)+(3x^2-4x-2)=8x^2-7x-10$

7 $2x(x-3y+1)-y(3x-2y)$
$=2x^2-6xy+2x-3xy+2y^2$
$=2x^2-9xy+2x+2y^2$
따라서 xy의 계수는 -9이다.

8 ④ $\dfrac{1}{3}x(6x^2-3x)=2x^3-x^2$

9 $4x(x-1)-3x(-x+1)-2(x^2+1)$
$=4x^2-4x+3x^2-3x-2x^2-2$
$=5x^2-7x-2$

10 $\dfrac{4x^2y-10xy^2}{2xy}-\dfrac{9xy^2-15x^2y}{3xy}=Ax+By$에서
$2x-5y-(3y-5x)=Ax+By$
$2x-5y-3y+5x=Ax+By$
$7x-8y=Ax+By$
따라서 $A=7$, $B=-8$이므로
$A-B=7-(-8)=15$

11 $3x(5x-2)+(24x^2y-18x^3y)\div(-6xy)$
$=15x^2-6x-4x+3x^2$
$=15x^2+3x^2-6x-4x$
$=18x^2-10x$
따라서 x^2의 계수와 x의 계수의 합은 $18+(-10)=8$

12 $($어떤 식$)\div(-4ab)=2a-3b$에서
$($어떤 식$)=(2a-3b)\times(-4ab)$
$=-8a^2b+12ab^2$
따라서 옳게 계산하면
$(-8a^2b+12ab^2)\times(-4ab)=32a^3b^2-48a^2b^3$

13 $(x-2y-5)(3x+ay-2)$를 전개할 때
xy의 계수는 $-6+a$이므로
$-6+a=-2$　　$\therefore a=4$

14 $(x+2y)(Ax+y-5)$를 전개할 때
xy의 계수는 $2A+1$,
x^2의 계수는 A, y^2의 계수는 2이므로
$2A+1=5(A+2)$에서
$3A=-9$　　$\therefore A=-3$

15 $($높이$)=($부피$)\div($밑넓이$)$이므로
$($직육면체의 높이$)=(18xy^3+24x^3y^2)\div(3xy\times 2y)$
$=(18xy^3+24x^3y^2)\div 6xy^2$
$=4x^2+3y$

16 원기둥의 높이를 h라고 하면
$\pi a^2 h=12\pi a^3-6\pi a^2 b$
$\therefore h=(12\pi a^3-6\pi a^2 b)\div \pi a^2$
$\therefore h=12a-6b$

01 ④	02 ④	03 ①	04 ②	05 ②
06 ②, ⑤	07 16	08 117	09 ①	10 ②
11 ⑤	12 ④	13 ⑤	14 ②	15 ③
16 ①	17 ③	18 ②	19 ②	20 ②
21 3	22 -4	23 1:1	24 $\dfrac{x^3y}{2}$	

1 ④ 순환하지 않는 무한소수는 유리수가 아니다.

2 ① $\dfrac{9}{15}=\dfrac{3^2}{3\times5}=\dfrac{3}{5}$ ② $\dfrac{3}{64}=\dfrac{3}{2^6}$

③ $\dfrac{3^3}{2^3\times3\times5^2}=\dfrac{3^2}{2^3\times5^2}$ ④ $\dfrac{12}{2^2\times3^2\times5}=\dfrac{2^2\times3}{2^2\times3^2\times5}=\dfrac{1}{3\times5}$

⑤ $\dfrac{14}{2\times7\times5^2}=\dfrac{2\times7}{2\times7\times5^2}=\dfrac{1}{5^2}$

기약분수의 분모를 소인수분해하였을 때 분모의 소인수에 2나 5 이외의 수가 있는 분수는 유한소수로 나타낼 수 없으므로 무한소수는 ④이다.

3 분모가 24인 분수를 $\dfrac{x}{24}$라고 하면 $\dfrac{1}{6}<\dfrac{x}{24}<\dfrac{5}{8}$,

$\dfrac{4}{24}<\dfrac{x}{24}<\dfrac{15}{24}$

$\dfrac{x}{24}=\dfrac{x}{2^3\times3}$가 유한소수가 되기 위해서 x는 3의 배수여야 한다.

따라서 x의 값은 6, 9, 12로 모두 3개이다.

4 $\dfrac{x}{180}=\dfrac{x}{2^2\times3^2\times5}$가 유한소수가 되려면 x는 9의 배수여야 한다.

9의 배수 중에 두 자리 자연수의 개수는
18, 27, 36, …, 90, 99의 10개이다.

5 $0.\dot5=\dfrac{5}{9}=5\times x$이므로 $x=\dfrac{1}{9}$

$0.\dot4\dot5=\dfrac{45}{99}=y\times\dfrac{1}{99}$이므로 $y=45$

$\therefore xy=\dfrac{1}{9}\times45=5$

6 $4.\dot5=\dfrac{41}{9}$이므로 자연수 k는 9의 배수이어야 한다.

따라서 k의 값이 될 수 없는 것은 ②, ⑤이다.

7 $\dfrac{33}{200\times a}=\dfrac{33}{2^3\times5^2\times a}$을 유한소수로 나타낼 수 없는 a의 한 자리 자연수는 7, 9이므로 구하는 합은
$7+9=16$

8 $\dfrac{7}{130}\times x=\dfrac{7}{2\times5\times13}\times x$가 유한소수가 되려면 x는 13의 배수여야 한다.

$\dfrac{11}{450}\times x=\dfrac{11}{2\times3^2\times5^2}\times x$가 유한소수가 되려면 x는 9의 배수여야 한다.

즉, x는 13과 9의 공배수, 즉 117의 배수이어야 한다.
따라서 x의 값 중 가장 작은 세 자리 자연수는 117이다.

9 ①은 □안에 들어갈 수가 3이고,
②, ③, ④, ⑤는 □안에 들어갈 수가 4이다.

10 $3x^2y^3z\times□=6x^5y^4z$에서
$□=\dfrac{6x^5y^4z}{3x^2y^3z}=2x^3y$

11 ⑤ $(-8ab^3)\div\dfrac{4a}{b}\times\dfrac{3a}{b^2}=-6ab^2$

12 $4(3a-5b)-3(2a-7b)=12a-20b-6a+21b$
$\qquad\qquad\qquad\qquad\qquad=6a+b$

13 $-(Ax^2-4x+2)-2(2x^2+Bx-3)$
$=(-A-4)x^2+(4-2B)x+4$
$=-7x^2-2x+C$
에서 $-A-4=-7$ $\therefore A=3$
$4-2B=-2$ $\therefore B=3$
$C=4$
$\therefore A+B+C=3+3+4=10$

14 (어떤 식)$-(x^2+4x-1)=2x^2-x-5$
(어떤 식)$=(2x^2-x-5)+(x^2+4x-1)$
$\qquad\qquad=3x^2+3x-6$
따라서 옳게 계산하면
$(3x^2+3x-6)+(x^2+4x-1)=4x^2+7x-7$

15 $a-\{2a-3b-\{3a+b-(5a-b)\}\}$
$=a-\{2a-3b-(3a+b-5a+b)\}$
$=a-\{2a-3b-(-2a+2b)\}$
$=a-(2a-3b+2a-2b)$
$=a-(4a-5b)$
$=-3a+5b$
따라서 a의 계수는 -3, b의 계수는 5이므로 그 합은 2이다.

16 $□\div(-3a^3b^2)^3=\dfrac{1}{3}ab^2$에서

$□=\dfrac{1}{3}ab^2\times(-3a^3b^2)^3$

$\quad=\dfrac{1}{3}ab^2\times(-27a^9b^6)$

$\quad=-9a^{10}b^8$

17 $(x+a)(2x-1)=2x^2+(2a-1)x-a$
$\qquad\qquad\qquad=2x^2+x-a$
이므로 $2a-1=1$
$\therefore a=1$

18 $x=3a-b,\ y=a-2b$를 $-2x+5y$에 대입하면
$-2x+5y=-2(3a-b)+5(a-2b)$
$\qquad\qquad=-6a+2b+5a-10b$
$\qquad\qquad=-a-8b$

19 $x+y-2=0$에서 $x=-y+2$

$x=-y+2$를 $xy+x-y$에 대입하면

$$xy+x-y=(-y+2)y+(-y+2)-y$$
$$=-y^2+2y-y+2-y$$
$$=-y^2+2$$

20 $4x=3y$에서 $y=\dfrac{4}{3}x$

$$\therefore \frac{2x^3-6x^2y}{2x^3+3x^2y}=\frac{2x^3-6x^2\times\frac{4}{3}x}{2x^3+3x^2\times\frac{4}{3}x}$$

$$=\frac{2x^3-8x^3}{2x^3+4x^3}=\frac{-6x^3}{6x^3}$$

$$=-1$$

21 $8^3\times16^\square\div32^2=(2^3)^3\times(2^4)^\square\div(2^5)^2$

$$=2^9\times2^{4\times\square}\div2^{10}=2^{11}$$

에서 $2^9\times2^{4\times\square}=2^{21}$

$2^{4\times\square}=2^{12}$ $\therefore \square=3$

22 $-3(2x+5y-1)+2(-x+2y-5)$

$$=-6x-15y+3-2x+4y-10$$
$$=-8x-11y-7$$
$$=Ax+By+C$$

에서 $A=-8$, $B=-11$, $C=-7$

$\therefore A-B+C=-8+11-7=-4$

23 직육면체 A의 부피는 $2a^2b\times ab^2\times9a^2=18a^5b^3$

직육면체 B의 부피는 $a^3b\times3a\times6ab^2=18a^5b^3$

따라서 두 직육면체 A와 B의 부피의 비는

$18a^5b^3:18a^5b^3=1:1$

24 $(2x^2y^3)^2\div\square\div6x^2y^2=\dfrac{4y^3}{3x}$에서

$$4x^4y^6\div\square\times\frac{1}{6x^2y^2}=\frac{4y^3}{3x}$$

$$\frac{2}{3}x^2y^4\div\square=\frac{4y^3}{3x}$$

$$\therefore \square=\frac{2}{3}x^2y^4\div\frac{4y^3}{3x}=\frac{2}{3}x^2y^4\times\frac{3x}{4y^3}=\frac{x^3y}{2}$$

[다른 풀이]

$$\square=(2x^2y^3)^2\div6x^2y^2\div\frac{4y^3}{3x}$$

$$=4x^4y^6\times\frac{1}{6x^2y^2}\times\frac{3x}{4y^3}$$

$$=\frac{12x^5y^6}{24x^2y^5}=\frac{x^3y}{2}$$

Ⅱ. 부등식

5 부등식의 해와 성질

본문 pp. 42~49

기본 체크

01 $2x-4\geq20$

02 (1) $<$　　　(2) $<$　　　(3) $<$　　　(4) $>$

대표 예제

1 $x=1$일 때,

$2\times1-9=-7\boxed{<}0$이므로 $\boxed{참}$

$x=2$일 때,

$2\times2-9=-5\boxed{<}0$이므로 $\boxed{참}$

$x=3$일 때,

$2\times3-9=-3\boxed{<}0$이므로 $\boxed{참}$

$x=4$일 때,

$2\times4-9=-1\boxed{<}0$이므로 $\boxed{참}$

$x=5$일 때,

$2\times5-9=1\boxed{>}0$이므로 $\boxed{거짓}$

따라서 주어진 부등식의 해는 $\boxed{1}$, $\boxed{2}$, $\boxed{3}$, $\boxed{4}$이다.

x	좌변	대소 비교	0	$2x-9<0$
1	-7	$\boxed{<}$	0	$\boxed{참}$
2	-5	$\boxed{<}$	0	$\boxed{참}$
3	-3	$\boxed{<}$	0	$\boxed{참}$
4	-1	$\boxed{<}$	0	$\boxed{참}$
5	1	$\boxed{>}$	0	$\boxed{거짓}$
⋮	⋮	⋮	⋮	⋮

2 (1) $2\times(-1)-3=-5\boxed{<}-1$ $\therefore \boxed{참}$

(2) $4\times(-1)=-4\boxed{\geq}5\times(-1)=-5$ $\therefore \boxed{참}$

(3) $6-2\times(-1)=8=8$ $\therefore \boxed{거짓}$

(4) $-11\boxed{<}-1-8=-9$ $\therefore \boxed{참}$

따라서 $x=-1$이 해가 아닌 부등식은 $\boxed{(3)}$이다.

3 (1) $a<b$의 양변에 5를 곱하여도

부등호의 방향은 $\boxed{바뀌지 않으므로}$

$5a\boxed{<}5b$

또, 이 부등식의 양변에서 3을 빼도

부등호의 방향은 $\boxed{바뀌지 않으므로}$

$5a-3\boxed{<}5b-3$

(2) $a<b$의 양변에 -2를 곱하면 부등호의 방향이 $\boxed{바뀌므로}$

$-2a\boxed{>}-2b$

또, 이 부등식의 양변에 3을 더하면

정답 및 풀이 **11**

부등호의 방향이 바뀌지 않으므로

$-2a+3 \boxed{>} -2b+3$

4 $-2<x<1$에서 $\boxed{-3}<-3x<\boxed{6}$

$\boxed{-3}+2<-3x+2<\boxed{6}+2$

$\therefore \boxed{-1}<-3x+2<\boxed{8}$

어떤 교과서에나 나오는 문제　　출제율 100% 기본기 쌓기

01 ①, ⑤	02 ⑤	03 ④	04 ①	05 ②
06 ②	07 ②	08 ④		

1 ② : 방정식　③, ④ : 다항식

2 주어진 문장을 부등식으로 나타내면

$x-2<3x+1$

3 ① x는 3보다 작거나 같다. ▷ $x\leq3$

② x의 4배는 16 이상이다. ▷ $4x\geq16$

③ 어떤 수 x에 5를 더하면 7보다 크다. ▷ $x+5>7$

⑤ x의 2배는 x에서 4를 뺀 것보다 작다.

▷ $2x<x-4$

4 주어진 문장을 부등식으로 나타내면

$5x\leq4000$

5 ① $6+1\leq5$ (거짓)

② $4\times2-3<9$ (참)

③ $-3\times0\geq15$ (거짓)

④ $-2+6<2\times2$ (거짓)

⑤ $5-4\geq\dfrac{3}{2}$ (거짓)

6 $2x+3<15$의 양변에서 3을 빼면

$2x+3-3<15-3$, $2x<12$

양변을 2로 나누면 $x<6$

따라서 가장 큰 자연수는 5이다.

7 ② $a<b$의 양변에 -3을 더하면

$-3+a<-3+b$

8 $1<x<4$의 각 변에 2를 곱하면 $2<2x<8$

양변에 -3을 더하면 $-1<2x-3<5$

따라서 $a=-1$, $b=5$

$\therefore a+b=-1+5=4$

시험에 꼭 나오는 문제　　기출 베스트 컬렉션

01 ①, ⑤	02 ①	03 ②	04 ①, ⑤	05 ④
06 ①	07 ③	08 ③	09 ④	10 ④
11 ③	12 ①	13 ④	14 ②	15 ①
16 ⑤				

1 ② 방정식　③ 다항식　④ 항등식

2 걸은 거리가 2 km이고, 자전거를 타고 간 거리가 $20x$ km이므로 주어진 문장을 식으로 나타내면

① $20x+2\leq24$

3 ② x는 양수가 아니므로 0이거나 음수이다.

$\therefore x\leq0$

4 ① $3\times4-1\geq10$ (참)

② $2\times6+1>5\times6$ (거짓)

③ $-3\times(-3)+2\leq5+(-3)$ (거짓)

④ $8\leq2\times8-9$ (거짓)

⑤ $5+0\geq2\times0-3$ (참)

5 ① $2\times3+1>7$ (거짓)

② $3+2<-4$ (거짓)

③ $3+3\geq10$ (거짓)

④ $3\times3>4\times3-4$ (참)

⑤ $1-3<-5$ (거짓)

6 $5-2x=-1$에서 $x=3$

① $x<2x-2$에서 $3<2\times3-2$ (참)

7 x 대신에 1부터 차례대로 자연수를 대입하여 부등식을 만족하는 값을 찾는다.

$x=1$일 때, $4\times1-2=2>7$ (거짓)

$x=2$일 때, $4\times2-2=6>7$ (거짓)

$x=3$일 때, $4\times3-2=10>7$ (참)

따라서 주어진 부등식을 참이 되게 하는 가장 작은 자연수는 3이다.

8 ③ $x\leq2$의 양변을 2로 나누면 $\dfrac{x}{2}\leq1$

양변에서 1을 빼면 $\dfrac{x}{2}-1\leq0$

9 ④ $a<b$의 양변에 -1을 곱하면 $-a>-b$

양변에 2를 더하면 $2-a>2-b$

양변을 3으로 나누면 $\dfrac{2-a}{3}>\dfrac{2-b}{3}$

10 ① $a<b$에서 $a<0$이면 $a^2>ab$

② $a<b<0$이면 $a^2>b^2$

③ $a<b$의 양변에 -3을 더하면
$-3+a<-3+b$

④ $a<b$의 양변에 $a-3b$를 더하면
$2a-3b<a-2b$

⑤ $a<b$의 양변에 b를 더하면 $a+b<2b$

11 $2-3a>2-3b$에서 $a<b$이므로

③ $\dfrac{a-3}{4}<\dfrac{b-3}{4}$

12 ①, ④ $a<0$에서 $\dfrac{1}{a}<0$, $b>0$에서 $\dfrac{1}{b}>0$

$\therefore \dfrac{1}{a}<\dfrac{1}{b}$

② $c>0$일 때만 참이 된다.

③ $c<0$일 때만 참이 된다.

⑤ a, b의 값에 따라 참이 되기도, 거짓이 되기도 한다.

13 ① $a>0$, $b<0$이므로 $a>b$이고 $c>0$

$\therefore ac>bc$

② $ac>bc$이므로 $ac-bc>0$

③ $b<0$, $c>0$이므로 $c>b$이고 $a>0$

$\therefore ac>ab$

④ $ac>ab$이므로 $ac-ab>0$

⑤ $a>0$, $b<0$이므로 $a>b$이고 $b<0$

$\therefore ab<b^2$

14 $-3<a\leq4$의 각 변에 3을 곱하면
$-3\times3<3a\leq4\times3$, $-9<3a\leq12$
양변에 1을 더하면
$-8<3a+1\leq13$

15 $-5\leq3b+7<19$의 각 변에서 7을 빼면
$-5-7\leq3b+7-7<19-7$
$-12\leq3b<12$
각 변을 3으로 나누면 $-4\leq b<4$

16 $-2\leq x<1$에서 $-3<-3x\leq6$
$\therefore 3<6-3x\leq12$
따라서 4, 5, …, 12의 9개이다.

---

01 (1)과 (3)

02 (1) $x<8$ (2) $x>2$ (3) $x\geq3$ (4) $x\geq-2$

 대표 예제

1 (1) -1을 이항하면 $3x\leq8\boxed{+}1$

이 식을 정리하면 $3x\leq\boxed{9}$

양변을 3으로 나누면 $x\leq\boxed{3}$

이 해를 수직선 위에 나타내면 그림과 같다.

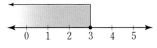

(2) 4를 이항하면 $-2x>8\boxed{-}4$

이 식을 정리하면 $-2x>\boxed{4}$

양변을 -2로 나누면 $x<\boxed{-2}$

이 해를 수직선 위에 나타내면 그림과 같다.

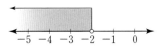

2 (1) 괄호를 풀면 $4+\boxed{2x}<-2-4x$

$\boxed{2x}+4x<-2-4$

$\boxed{6x}<-6$

양변을 $\boxed{6}$으로 나누면 $x<\boxed{-1}$

(2) 괄호를 풀면 $-x-5>3+\boxed{3x}$

$-x-\boxed{3x}>3+5$

$\boxed{-4x}>8$

양변을 $\boxed{-4}$로 나누면 $x<\boxed{-2}$

3 양변에 $\boxed{10}$을 곱하면 $4x-12\geq2x-4$

-12와 $2x$를 이항하면 $4x\boxed{-}2x\geq-4\boxed{+}12$

양변을 정리하면 $2x\geq\boxed{8}$

양변을 2로 나누면 $x\geq\boxed{4}$

4 양변에 분모 2, 3, 6의 최소공배수인 $\boxed{6}$을 곱하면

$3x+\boxed{2}<6x-\boxed{1}$

2와 $6x$를 이항하면 $3x\boxed{-}6x<-1\boxed{-}2$

양변을 정리하면 $-3x<\boxed{-3}$

양변을 -3으로 나누면 $x>\boxed{1}$

01 ③	02 ④	03 ①	04 ③	05 ①
06 ①	07 11	08 ①		

1 ③ $3x+x>4x$에서 $0>0$이므로 일차부등식이 아니다.

2 $2x-3<5x+9$에서 $2x-5x<9+3$
$-3x<12$ $\therefore x>-4$

3 $3(x-2)>x+6$에서 $3x-6>x+6$
$2x>12$ $\therefore x>6$

4 $-\dfrac{1}{4}x+2>\dfrac{2}{3}x-9$의 $-3x+24>8x-108$
$11x<132$ $\therefore x<12$
따라서 x의 값 중 가장 큰 정수는 11이다.

5 $2(x+4)>5x-3$에서 $2x+8>5x-3$
$3x<11$ $\therefore x<\dfrac{11}{3}$
따라서 x의 값이 될 수 있는 자연수는 1, 2, 3의 3개이다.

6 $0.3(x-2)\leq-0.2x+1.9$의 양변에 10을 곱하면
$3(x-2)\leq-2x+19$
$3x-6\leq-2x+19$, $5x\leq25$
$\therefore x\leq5$

7 $1.2x+\dfrac{1}{3}<\dfrac{1}{2}x-\dfrac{1}{4}$의 양변에 60을 곱하면
$72x+20<30x-15$
$42x<-35$
$\therefore x<-\dfrac{5}{6}$
$\therefore a+b=5+6=11$

8 $ax+2<-3$에서 $ax<-3-2$
$\therefore ax<-5$
$x>10$의 양변에 $-\dfrac{1}{2}$을 곱하면
$-\dfrac{1}{2}x<-5$
$\therefore a=-\dfrac{1}{2}$

01 ②	02 ③	03 ②, ⑤	04 ④	05 ①
06 ④	07 ①	08 ①	09 ①	10 ①
11 ①	12 ④	13 ③	14 ③	15 ④
16 ④				

1 ① $3x+3>3x$, $3>0$
③ $-x^2+2x-3>0$이므로 일차부등식이 아니다.
④ 일차방정식
⑤ $3<5$

2 $4(1-x)>-2x$에서 $x<2$
이때 $|x|\leq5$이므로 해는 1, 0, -1, -2, -3, -4, -5의 7개이다.

3 ① $\dfrac{1}{3}x-1<x+1$에서 $x>-3$
② $0.2x+1<2-0.3x$에서 $x<2$
③ $3(x-1)<6$에서 $x<3$
④ $\dfrac{x}{5}>2$에서 $x>10$
⑤ $4x+1<2x+5$에서 $x<2$

4 $2(x+3)\geq5x-15$에서 $2x+6\geq5x-15$
$-3x\geq-21$ $\therefore x\leq7$
따라서 구하는 합은
$1+2+3+4+5+6+7=28$

5 주어진 부등식의 양변에 10을 곱하면
$20-8x<2x+6$, $-10x<-14$
$\therefore x>\dfrac{7}{5}$

6 주어진 부등식의 양변에 20을 곱하면
$6+4x<5(-3+5x)$
$-21x<-21$ $\therefore x>1$
따라서 구하는 가장 작은 정수는 2이다.

7 $7-ax<2ax-2$에서 $-3ax<-9$
$-3a<0$이므로 $x>\dfrac{3}{a}$

8 $3(x-2)+2\leq ax+8$에서
$(3-a)x\leq12$
해가 $x\leq3$이므로 $3-a>0$
즉, 해가 $x\leq\dfrac{12}{3-a}$이므로
$\dfrac{12}{3-a}=3$에서 $a=-1$

9 $7-ax<2(ax+1)$에서 $-3ax<-5$

이 부등식의 해가 $x < -2$이므로
$-3a < 0$이고 $x < \dfrac{5}{3a}$이다.

따라서 $\dfrac{5}{3a} = -2$이므로 $a = -\dfrac{5}{6}$

10 $\dfrac{5-2x}{3} \le a - \dfrac{x}{2}$에서
$10 - 4x \le 6a - 3x$
$\therefore x \ge 10 - 6a$
이때 $10 - 6a = 2$이므로 $a = \dfrac{4}{3}$

11 $ax + 2a < 6a$에서 $ax < 4a$
$a > 0$이면 $x < 4$, $a < 0$이면 $x > 4$
$\therefore a > 0$
따라서 a의 값이 될 수 있는 가장 작은 자연수는 1이다.

12 $7(2-x) + a \le 3x - 2$에서
$14 - 7x + a \le 3x - 2$
$-10x \le -16 - a$
$\therefore x \ge \dfrac{16+a}{10}$
이때 $\dfrac{16+a}{10} = 4$이므로 $a = 24$

13 $4(x-2) + a < -x + 3$에서
$5x < 11 - a$
$\therefore x < \dfrac{11-a}{5}$
이때 $\dfrac{11-a}{5} = 3$이므로 $a = -4$

14 $4 - x < 2x + 1$에서 $-3x < -3$
$\therefore x > 1$
$2(x-3) > a$에서 $x - 3 > \dfrac{a}{2}$
$\therefore x > \dfrac{a}{2} + 3$
따라서 $\dfrac{a}{2} + 3 = 1$이므로 $a = -4$

15 $\dfrac{5-2x}{3} \le a - \dfrac{3}{2}x$에서
$10 - 4x \le 6a - 9x$
$5x \le 6a - 10$
$\therefore x \le \dfrac{6a-10}{5}$
이때 $\dfrac{6a-10}{5} = 4$이므로 $a = 5$

16 $4x - 3 \ge 2x - a$에서
$2x \ge 3 - a$
$\therefore x \ge \dfrac{3-a}{2}$
이때 $\dfrac{3-a}{2} = -6$이므로 $a = 15$

---

7 일차부등식의 활용

기본 체크

01 5개(메모지를 x개라 하면, $400 \times 4 + 1000x \le 7000$)

대표 예제

1 한 번에 나를 수 있는 물건의 개수를 x개라고 하면
(민서의 몸무게) + (실어 나를 수 있는 물건의 무게) ≤ 1000
이어야 하므로
$40 + \boxed{25x} \le 1000$
40을 이항하여 정리하면 $\boxed{25x} \le 960$, 즉 $x \le \boxed{38.4}$
따라서 $\boxed{38}$개까지 실어 나를 수 있다.
[검토]
$\boxed{38}$개를 실은 경우 엘리베이터에 실은 용량은
$40 + \boxed{38} \times 25 = \boxed{990}$ (kg)
이므로 $\boxed{38}$개까지 실을 수 있음을 확인할 수 있다.
또, $40 + 39 \times 25 = 1015$ (kg)이므로 $\boxed{39}$개 이상은 실을 수 없다.

2 구하는 어떤 자연수를 라고 하면 3배에서 4를 더한 수는 그 수의 7배에서 4를 뺀 것보다 작으므로 $\boxed{3x} + 4 < \boxed{7x} - 4$
따라서 $8 < \boxed{4x}$이고, $\boxed{2} < x$구하는 가장 작은 수는 $\boxed{3}$이다.
[검토]
$(3 \times 3) + 4 < (7 \times 3) - 4$이고, $13 < 17$이므로 문제의 뜻에 맞다.

3 구하는 정가를 x원이라 하면
(할인하여 판 물건 값 − 원가) $\ge$ (원가 $\times$ 0.2)이므로
$\boxed{0.6x} - 5000 \ge 5000 \times \boxed{0.2}$
x에 대해 정리하면 $0.6x \ge \boxed{6000}$
$x \ge 10000$이므로 물건을 이상으로 팔면 된다.
[검토]
$(0.6 \times 10000) - 5000 \ge 5000 \times 0.2$이고
$1000 \ge 1000$이므로 문제의 뜻에 맞다.

어떤 교과서에나 나오는 문제
출제율 100% 기본기 쌓기

01 ③	02 ②	03 ④	04 ②	05 ③
06 ⑤	07 150쪽	08 10개		

1 연속하는 세 짝수를 $2x$, $2x+2$, $2x+4$라 하면
$49 < 2x + (2x+2) + (2x+4) < 58$에서 $49 < 6x + 6 < 58$,
$\dfrac{43}{6} < x < \dfrac{52}{6}$이므로

$x=8$이고, 세 짝수는 16, 18, 20이다. 따라서 가장 큰 수는 20이다.

2 연속하는 세 홀수를 $2x-1$, $2x+1$, $2x+3$이라 하면
$51<(2x-1)+(2x+1)+(2x+3)<63$에서
$51<6x+3<63$, $8<x<10$이므로
$x=9$이고, 세 홀수는 17, 19, 21이다. 따라서 가장 작은 수는 17이다.

3 아이스크림의 개수를 x개라 하면 과자의 개수는 $(24-x)$개이므로
$500(24-x)+1000x\leq18000$
$\therefore x\leq12$

4 x일 후 예금액은 $5000+600x>10000$
$\therefore x>\dfrac{25}{3}$
따라서 9일 후이다.

5 이번 수학 성적을 x점이라 하면
$\dfrac{82+x}{2}\geq88$ $\therefore x\geq94$
따라서 94점 이상이다.

6 가장 긴 변의 길이가 $(x+10)$ cm이므로
$x+(x+2)>x+10$
$\therefore x>8$

7 이 책이 x쪽이라 하면 $5\times30\geq x$에서 $x\leq150$
$8\times10+69<x$에서 $x>149$
$\therefore 149<x\leq150$
따라서 150쪽이다.

8 사탕의 개수를 x개라 하면
초콜릿의 개수는 $(12-x)$개이므로
$4800<200x+800(12-x)+2000\leq6000$
$\therefore \dfrac{56}{6}<x\leq\dfrac{68}{6}$
따라서 10개이다.

시험에 꼭 나오는 문제 　　　　　 기출 베스트 컬렉션

01 ②	02 14, 15, 16	03 ②	04 7개월 후
05 $\dfrac{40}{3}$ km		06 ③	07 ④
08 5 cm 이상 9 cm 이하		09 $x\leq\dfrac{200}{7}$	
10 16개	11 12번	12 7년	13 3 　 14 1 km
15 89점	16 $0<x\leq20$		

1 연속하는 두 짝수를 x, $x+2$라 하면
$20<x+(x+2)<24$
$\therefore 9<x<11$
따라서 두 짝수 중 작은 수는 10이다.

2 연속하는 세 자연수를 $x-1$, x, $x+1$이라 하면
$(x-1)+x+(x+1)<51$
$3x<51$ $\therefore x<17$
따라서 구하는 가장 큰 세 자연수는 14, 15, 16이다.

3 공책을 x권 산다고 하면
$1000x>700x+2500$
$\therefore x>\dfrac{25}{3}$
따라서 9권 이상이다.

4 x개월 후 민서와 재희의 저축액을 비교하면
$40000+6000x>60000+3000x$
$\therefore x>\dfrac{20}{3}$
따라서 7개월 후에 민서의 저축액이 재희의 저축액보다 많아진다.

5 자전거를 탄 거리를 x km라고 하면
$\dfrac{16-x}{4}+\dfrac{x}{10}\leq2$
$\therefore x\geq\dfrac{40}{3}$
따라서 자전거를 탄 최소 거리는 $\dfrac{40}{3}$ km이다.

6 물건의 개수를 x개라 하면
$120+50x\leq600$
$\therefore x\leq\dfrac{48}{5}$
따라서 한 번에 최대 9개까지 운반이 가능하다.

7 단체일 경우 한 사람의 입장료는 1800원이므로
x명일 때 단체 입장권을 산다고 하면
$2000x>30\times1800$ $\therefore x>27$
따라서 28명 이상일 때 단체 입장권을 사는 것이 유리하다.

8 원뿔의 높이를 h cm라 하면
$60\pi\leq\dfrac{1}{3}\times6^2\pi\times h\leq108\pi$
$\therefore 5\leq h\leq9$
따라서 5 cm 이상 9 cm 이하이다.

9 제품의 원가를 a원이라 하면
$a\left(1+\dfrac{40}{100}\right)\times\left(1-\dfrac{x}{100}\right)\geq a$
$140(100-x)\geq10000$

$$\therefore x \le \frac{200}{7}$$

10 사려는 라면의 수를 x라 하면
(편의점에서 사는 비용)>(대형마트에서 사는 비용)이므로
$1000x > 900x + 1500$, $100x > 1500$ $\therefore x > 15$
따라서 라면을 최소한 16개 이상 사는 경우에 대형마트에서 사는 것이 유리하다.

11 한 달에 찜질방을 x번 간다고 할 때 회원이 아닌 경우 드는 비용은 $9000x$이므로
$9000x > 100000$ $\therefore$ 12번

12 x년 후 아버지의 나이와 승연이의 나이는 각각
$(41 + x)$살, $(9 + x)$살이므로
$41 + x \le 3(9 + x)$, $x \ge 7$ $\therefore x = 7$년

13 어떤 홀수를 x라 하면 $5x - 11 \le 2x$
$$\therefore x \le \frac{11}{x}$$

14 역에서 상점까지의 거리를 x km라 하면
(가는 데 걸리는 시간)+(물건 사는데 걸리는 시간)
+(돌아오는데 걸리는 시간)≤ 1이므로
$$\frac{x}{3} + \frac{20}{60} + \frac{x}{3} \le 1, \quad \frac{2}{3}x \le \frac{2}{3} \quad \therefore x \le 1$$
따라서 역에서 1km 이내에 있는 상점까지 다녀올 수 있다.

15 수학 시험에서 x점을 받는다고 하면
$$\frac{75 + 80 + 96 + x}{4} \ge 85 \quad \therefore x \ge 89$$

16 $\frac{1}{2} \times x \times 6 \le 60$ $\therefore 0 < x \le 20$

단원종합문제   본문 pp. 66~69

01 ①	02 ④	03 ②	04 ②	05 ③
06 ③	07 ③	08 ④	09 ③	10 ②
11 ④	12 −15	13 4	14 −5	15 25일
16 ⑤	17 ①	18 ④	19 −1	20 4개
21 7권	22 80 g	23 $0 < x \le \frac{1}{2}$		24 31명 이상

1 모든 항을 좌변으로 이항하여 정리하면
ㄱ. $5 + x > 0$ (일차부등식)
ㄹ. $2x + 8 \ge 0$ (일차부등식)

2 ④ $-2 \ge 2 \times 2$ (거짓)

3 ② $x - 1 > 5$에서 $x > 6$
따라서 5 이하의 자연수 중에서는 해가 없다.

4 $2(1 - x) > -x$에서 $x < 2$

이때 $|x| \le 4$인 정수이므로 구하는 해의 개수는
1, 0, −1, −2, −3, −4의 6개이다.

5 $-3a - 4 < -3b - 4$에서
$-3a - 4 + 4 < -3b - 4 + 4$
$-3a < -3b$ $\therefore a > b$
이때 $5a > 5b$이므로 ③ $5a - 3 > 5b - 3$

6 $-2 \le x < 1$의 각 변에 3을 곱하면
$-6 \le 3x < 3$
이 부등식의 각 변에서 2를 빼면
$-8 \le 3x - 2 < 1$
따라서 가장 큰 정수는 0이다.

7 ①, ②, ④, ⑤의 부등식의 해는 $x < -3$
③ $2x - 1 > x + 2$ $\therefore x > 3$

8 ④ $\frac{1}{2}x + 1 < \frac{1}{2}\left(4 + \frac{1}{2}x\right)$에서
$\frac{1}{4}x < 1$ $\therefore x < 4$

9 $a - 3x \ge -x$에서 $-2x \ge -a$
$$\therefore x \le \frac{a}{2}$$
부등식을 만족하는 자연수 x의 개수가 2개이므로
$2 \le \frac{a}{2} < 3$ $\therefore 4 \le a < 6$

10 $ax - a > -3a$에서 $ax > -2a$
이때 $a < 0$이므로 $x < -2$

11 $\frac{5 - 2x}{3} \le a - \frac{x}{2}$에서 $10 - 4x \le 6a - 3x$
$$\therefore x \ge 10 - 6a$$
이때 해 중 가장 작은 수가 2이므로
$10 - 6a = 2$에서 $a = \frac{4}{3}$

12 $x - 4 < 8$, $\therefore x < 12$ … ㉠
$x - a > 2x + 3$, $-x > a + 3$, $x < -a - 3$ … ㉡
㉠, ㉡에서 두 일차부등식의 해가 같으므로
$12 = -a - 3$ $\therefore a = -15$

13 $3x + 10 \le 7a$ $\therefore x \le \frac{7a - 10}{3}$
따라서 $\frac{7a - 10}{3} = 6$이므로 $7a - 10 = 18$ $\therefore a = 4$

14 $x - 5 < 4x + 4$에서 $x > -3$이고, $5x - a > 3(x - 1) + 2$에서
$$x > \frac{a - 1}{2}$$
따라서 $\frac{a - 1}{2} = -3$ $\therefore a = -5$

15 x일 동안 대여한다고 하면
$2000 + 400(x - 3) < 11000$

$400x - 12000 < 9000$

$x < \dfrac{102}{4}$ ∴ 25일

16 역에서 x km 이내에 있는 상점을 이용한다고 하면

$\dfrac{x}{6} + \dfrac{x}{6} + \dfrac{5}{60} \leq 1$

$20x + 5 \leq 60$ ∴ $x \leq \dfrac{11}{4}$

따라서 $\dfrac{11}{4}$ km 이내에 있는 상점을 이용할 수 있다.

17 샤프를 x자루 산다고 하면

볼펜은 $(14-x)$자루 살 수 있으므로

$1000x + 800(14-x) + 2500 \leq 15000$

양변을 100으로 나누면

$10x + 8(14-x) + 25 \leq 150$

$2x + 137 \leq 150$, $2x \leq 13$

∴ $x \leq \dfrac{13}{2}$

따라서 샤프는 최대 6자루까지 살 수 있다.

18 정n각형에서 내각의 크기의 총합은 $180°(n-2)$이므로

$900° < 180°(n-2) < 1100°$에서

$5 < n-2 < \dfrac{55}{9}$, $7 < n < \dfrac{73}{9}$

∴ $n = 8$

따라서 구하는 한 내각의 크기는

$\dfrac{180°(8-2)}{8} = \dfrac{1080°}{8} = 135°$

19 주어진 일차부등식의 양변에 4를 곱하면 $x+6 > -2x$,

$3x > -6$

∴ $x > -2$

이므로 가장 작은 정수 x는 -1이다.

20 사려는 연필의 개수를 x라 하면

(연필의 금액)+(지우개의 금액)<5000원이므로

$600x + 400(10-x) < 5000$, $200x < 1000$ ∴ $x < 5$

따라서 연필을 최대 4개까지 살 수 있다.

21 사려는 공책의 수를 x라 하면

(동네 문구점)>(할인매장에서 사는 비용)이므로

$1500x > 1200x + 2000$, $300x > 2000$ ∴ $x > 6.66 \cdots$

따라서 공책을 최소한 7권 이상 사는 경우에 할인매장에서 사는 것이 유리하다.

22 6%의 소금물에 들어 있는 소금의 양은

$\dfrac{6}{100} \times 200 = 12$g이고, 물을 x g 증발 시킨다고 하면

$12 \geq \dfrac{10}{100} \times (200-x)$ ∴ $x \geq 80$

따라서 최소 80 g의 물을 증발시켜야 한다.

23 $2x+5$가 가장 긴 변의 길이이므로

$2x + 5 < (4-x) + (x+2)$

∴ $x < \dfrac{1}{2}$

이때 $x > 0$이므로 $0 < x < \dfrac{1}{2}$

24 인원 수를 x명이라 하면

$800x > 600 \times 40$

∴ $x > 30$

따라서 31명 이상이면 단체 입장권을 사는 것이 유리하다.

III. 방정식

8 연립일차방정식

본문 pp. 70~77

기본 체크

01 (1)과 (4)

02 11, 8, 5, 2

대표 예제

1 x, y가 자연수이므로 주어진 식의 x에 1, 2, 3, 4, 5, $\cdots$를 차례로 대입하여 y의 값을 구하면 다음 표와 같다.

x	1	2	3	4	5	6	$\cdots$
y	$\dfrac{5}{2}$	$\boxed{2}$	$\dfrac{3}{2}$	$\boxed{1}$	$\dfrac{1}{2}$	0	$\cdots$

이때 y의 값도 자연수이므로 일차방정식의 해는 $(2, \boxed{2})$, $(4, \boxed{1})$이다.

2 $x = \boxed{-1}$, $y = \boxed{2}$를 $2x + ay = 8$에 대입하면

$2 \times (\boxed{-1}) + a \times \boxed{2} = 8$, $2a = \boxed{10}$

∴ $a = \boxed{5}$

3 $(3, a)$를 $x+y=4$에 대입하면 $\boxed{3} + a = 4$

∴ $a = \boxed{1}$

$(b, -1)$을 $x+y=4$에 대입하면 $b - \boxed{1} = 4$

∴ $b = \boxed{5}$

4 두 일차방정식의 해를 각각 구하면 다음과 같다.

①

x	1	2	3	4
y	8	6	4	2

②

x	1	2	3	4	5
y	5	4	3	2	1

따라서 구하는 연립방정식의 해는 위의 표에서 ①과 ②의 공통인 해
$x=4$, $y=2$이다.

1 미지수가 2개인 일차방정식은 $ax+by+c=0(a, b, c$는 상수,
$a\neq0$, $b\neq0)$과 같이 나타낼 수 있으므로 ①, ⑤이다.

2 일차방정식 $x+2y=9$의 해는 주어진 값을 대입하여 식이 참이
되는 값이다.
이때 $(-3, -6)$을 대입하면 $-3+2\times(-6)=-15$이므로
식이 참이 되지 않는다.
따라서 일차방정식 $x+2y=9$의 해가 아닌 것은 ①이다.

3 x, y가 자연수일 때, 일차방정식 $4x+y=13$을 참이 되는 값을
찾으면 $(1, 9)$, $(2, 5)$, $(3, 1)$이므로 해는 모두 3개이다.

4 일차방정식 $x-3y+4=0$에 $(k, 2)$를 대입하면
$k-3\times2+4=0$
$\therefore k=2$

5 일차방정식 $2x-y+6=a$에 $(a, 3a)$를 대입하면
$2a-3a+6=a$, $2a=6$
$\therefore a=3$

6 일차방정식 $x+ay=7$에 $(1, 2)$를 대입하면
$1+2a=7$, $2a=6$
$\therefore a=3$
$x+ay=7$에 $a=3$을 대입하면 $x+3y=7$
$x+3y=7$에 $y=1$을 대입하면 $x+3\times1=7$
$\therefore x=4$

7 미지수가 2개인 연립일차방정식은 미지수가 2개인 일차방정식
두 개를 한 쌍으로 묶어서 나타낸 것이므로 ㄱ, ㄷ이다.

8 $(2, 6)$을 $x+ay=-4$에 대입하면
$2+6a=-4$, $6a=-6$
$\therefore a=-1$
$(2, 6)$을 $bx-y=0$에 대입하면
$2b-6=0$　$\therefore b=3$
$\therefore a+b=-1+3=2$

1 미지수가 2개인 일차방정식은 $ax+by+c=0(a, b, c$는 상수,
$a\neq0$, $b\neq0)$과 같이 나타낼 수 있으므로 미지수가 2개인 일차
방정식은 ③이다.

2 주어진 문장을 식으로 나타내면 ① $4x+5y=87$이다.

3 $ax-3y=7x+2y-1$에서
$(a-7)x-5y+1=0$
미지수가 2개인 일차방정식은 $ax+by+c=0(a, b, c$는 상수,
$a\neq0$, $b\neq0)$과 같이 나타낼 수 있다.
이때 미지수 x, y의 계수가 0이 되면 안 되므로
$a-7\neq0$　$\therefore a\neq7$
따라서 a의 값으로 적당하지 않은 것은 ⑤ 7이다.

4 각각을 대입하여 일차방정식을 만족하는 값을 찾는다.
② $(-1, -7)$일 때, $2\times(-1)-(-7)=5$
⑤ $(2, -1)$일 때, $2\times2-(-1)=5$

5 $x=1$, $y=2$를 대입하여 식이 참이 되는 것을 찾는다.
③ $2\times1-2=0$

6 ④ y의 값이 -1일 때, x의 값은 6이다.

7 x, y가 소수일 때, 방정식 $x+3y=22$의 해는 $(13, 3)$, $(7, 5)$
로 모두 2개이다.

8 일차방정식 $3x-4y-8=0$에 $(a-3, 1-a)$를 대입하면
$3(a-3)-4(1-a)-8=0$
$7a-21=0$　$\therefore a=3$

9 일차방정식 $ax+4y=-6$에 $(-2, 1)$을 대입하면
$-2a+4=-6$, $-2a=-10$
$\therefore a=5$
$a=5$를 $ax+4y=-6$에 대입하면
$5x+4y=-6$
$5x+4y=-6$에 $y=6$을 대입하면
$5x+4\times6=-6$, $5x=-30$
$\therefore x=-6$

10 일차방정식 $2x-ay=-4$에 $(a, 6)$을 대입하면
$2a-6a=-4$, $-4a=-4$
$\therefore a=1$
$a=1$을 $2x-ay=-4$에 대입하면
$2x-y=-4$
$2x-y=-4$에 $(-4, b)$를 대입하면

$2 \times (-4) - b = -4 \quad \therefore b = -4$

$\therefore ab = 1 \times (-4) = -4$

11 $(-3, -2)$를 $5x - by = 3$에 대입하면

$5 \times (-3) - b \times (-2) = 3$

$-15 + 2b = 3, \ 2b = 18$

$\therefore b = 9$

$b = 9$를 $5x - by = 3$에 대입하면

$5x - 9y = 3$

$\left(a, \dfrac{2}{3}a\right)$를 $5x - 9y = 3$에 대입하면

$5a - 9 \times \dfrac{2}{3}a = 3, \ -a = 3$

$\therefore a = -3$

$\therefore \dfrac{b}{a} = \dfrac{9}{-3} = -3$

12 $x = 2, \ y = -1$을 대입하여 참이 되는 연립방정식을 찾으면

② $\begin{cases} x - y = 3 \\ x + 2y = 0 \end{cases}$ 이다.

13 각각의 순서쌍을 연립방정식에 대입하여 참이 되는 것을 찾는다.

③ $x = 3, \ y = -3$을 연립방정식에 대입하면

$3 - (-3) = 6, \ 2 \times 3 + (-3) = 3$

이므로 $(3, -3)$은 주어진 연립일차방정식의 해이다.

14 $3x + y = 13$에 $x = 3$을 대입하면

$3 \times 3 + y = 13 \quad \therefore y = 4$

해가 $(3, 4)$이므로 $2x - y = k$에 대입하면

$2 \times 3 - 4 = k \quad \therefore k = 2$

15 $x - ay = 5$에 $(3, -2)$를 대입하면

$3 - a \times (-2) = 5, \ 3 + 2a = 5$

$\therefore a = 1$

$bx + y = 4$에 $(3, -2)$를 대입하면

$3b - 2 = 4, \ 3b = 6$

$\therefore b = 2$

$\therefore a + b = 1 + 2 = 3$

16 $(a, 3)$을 $2x + 5y = 7$에 대입하면

$2a + 15 = 7, \ 2a = -8$

$\therefore a = -4$

$(-4, 3)$이 연립방정식의 해이므로

$x - by = -10$에 대입하면

$-4 - 3b = -10, \ -3b = -6$

$\therefore b = 2$

$\therefore ab = (-4) \times 2 = -8$

9 연립방정식의 풀이

본문 pp. 78~85

 기본 체크

01 3, 2, 1   **02** 5, 3, 1

03 $x = 3, \ y = 1$

대표 예제

1 ①의 양변에 $\boxed{2}$를 곱하면 $4x + 2y = \boxed{16}$ ……③

②와 ③을 변끼리 더하면 $7x = \boxed{14}$

양변을 7로 나누면 $x = \boxed{2}$

$x = \boxed{2}$를 ①에 대입하면 $2 \times \boxed{2} + y = 8, \ \boxed{4} + y = 8$

좌변의 $\boxed{4}$를 우변으로 이항하여 정리하면 $y = \boxed{4}$

따라서 구하는 해는 $x = \boxed{2}, \ y = \boxed{4}$이다.

2 (1) ①을 ②에 대입하면

$x + 2(\boxed{x+2}) = 16$

$x + 2x + \boxed{4} = 16$

$3x = \boxed{12} \quad \therefore x = \boxed{4}$

$x = \boxed{4}$를 ①에 대입하면 $y = \boxed{6}$

따라서 구하는 해는 $x = \boxed{4}, \ y = \boxed{6}$이다.

(2) ①을 변형하여 y를 x의 식으로 나타내면

$y = \boxed{4-2x}$ ……③

③을 ②에 대입하면 $x - 2(\boxed{4-2x}) = 7$

$5x = \boxed{15} \quad \therefore x = \boxed{3}$

$x = 3$을 ③에 대입하면

$y = 4 - 2 \times \boxed{3} = \boxed{-2}$

따라서 구하는 해는 $x = \boxed{3}, \ y = \boxed{-2}$이다.

3 ①의 양변에 10을 곱하면

$\boxed{2x + y = 8}$ ……③

②의 양변에 분모의 최소공배수 6을 곱하면

$\boxed{2x + 3y = 12}$ ……④

③에서 ④를 빼면

$-2y = \boxed{-4} \quad \therefore y = \boxed{2}$

$y = \boxed{2}$를 ③에 대입하면

$2x + 2 = \boxed{8}, \ 2x = \boxed{6}$

$\therefore x = \boxed{3}$

따라서 구하는 해는 $x = \boxed{3}, \ y = \boxed{2}$이다.

01 ④	02 ⑤	03 ⑤	04 $x=-1, y=1$
05 ④	06 ①	07 ⑤	08 $x=-8, y=15$

1 y를 소거하여 풀려면 y의 계수를 3으로 만들면 되므로 필요한 식은 ④ ㉠+㉡×3이다.

2 ㉠을 ㉡에 대입하면 $x+2(3x-1)=12$

$7x-2=12$, $7x=14$

$\therefore a=7$

3 연립방정식 $\begin{cases} y=-x+3 & \cdots ㉠ \\ 3x+y=11 & \cdots ㉡ \end{cases}$에서

㉠을 ㉡에 대입하면 $3x+(-x+3)=11$

$2x+3=11$, $2x=8$

$\therefore x=4$

$x=4$를 ㉠에 대입하면

$y=-4+3=-1$

따라서 연립방정식의 해는 $x=4$, $y=-1$이다.

4 $\begin{cases} 4x+y=-3 & \cdots ㉠ \\ y=2x+3 & \cdots ㉡ \end{cases}$

㉡을 ㉠에 대입하면 $4x+(2x+3)=-3$

$6x=-6$　$\therefore x=-1$

$x=-1$을 ㉡에 대입하면

$y=2\times(-1)+3=1$

따라서 연립방정식의 해는 $x=-1$, $y=1$이다.

5 주어진 연립방정식을 만족하는 y의 값이 x의 값의 2배이므로

$y=2x$

연립방정식 $\begin{cases} x-3y=10 \\ y=2x \end{cases}$를 풀면

$x-3\times2x=10$, $-5x=10$

$\therefore x=-2$

$x=-2$를 $y=2x$에 대입하면

$y=2\times(-2)=-4$

연립방정식의 해가 $x=-2$, $y=-4$이므로

$2x-ay=4$에 대입하면

$2\times(-2)-a\times(-4)=4$, $4a=8$

$\therefore a=2$

6 첫 번째 방정식의 양변에 6을 곱하고, 두 번째 방정식의 양변에 10을 곱하면

$\begin{cases} 3x-4y=9 & \cdots ㉠ \\ 2x-y=1 & \cdots ㉡ \end{cases}$

㉠－㉡×4를 하면　$-5x=5$

$\therefore x=-1$

$x=-1$을 ㉡에 대입하면　$2\times(-1)-y=1$

$\therefore y=-3$

따라서 $a=-1$, $b=-3$이므로

$a+b=(-1)+(-3)=-4$

7 각 방정식의 양변에 10을 곱하면

$\begin{cases} 2x-3y=1 & \cdots ㉠ \\ 5x+3y=13 & \cdots ㉡ \end{cases}$

㉠＋㉡을 하면　$7x=14$

$\therefore x=2$

$x=2$를 ㉠에 대입하면　$2\times2-3y=1$

$\therefore y=1$

따라서 연립방정식의 해는 $x=2$, $y=1$이다.

8 첫 번째 방정식의 양변에 6을 곱하고, 두 번째 방정식의 양변에 10을 곱하면

$\begin{cases} 3x+2y=6 & \cdots ㉠ \\ 5x+4y=20 & \cdots ㉡ \end{cases}$

㉠×2－㉡을 하면　$x=-8$

$x=-8$을 ㉠에 대입하면　$3\times(-8)+2y=6$

$2y=30$　$\therefore y=15$

따라서 연립방정식의 해는 $x=-8$, $y=15$이다.

01 ④	02 ③	03 ④	04 ①	05 ③
06 ④	07 ②	08 ⑤	09 ⑤	10 ②
11 ③	12 ②	13 ④	14 ③	15 ④
16 ⑤				

1 y항을 소거하여 풀려면 y의 계수를 12로 만들면 되므로 필요한 식은 ④ ㉠×3+㉡×4이다.

2 $\begin{cases} 5x+2y=3 & \cdots ㉠ \\ 3x+2y=5 & \cdots ㉡ \end{cases}$

㉠－㉡을 하면 $2x=-2$

$\therefore x=-1$

$x=-1$을 ㉡에 대입하면 $3\times(-1)+2y=5$

$2y=8$　$\therefore y=4$

따라서 연립방정식의 해는 $x=-1$, $y=4$이다.

3 $\begin{cases} 3x+2y=10 & \cdots ㉠ \\ 2x-5y=-6 & \cdots ㉡ \end{cases}$

㉠×5+㉡×2를 하면　$19x=38$

$\therefore x=2$

$x=2$를 ㉠에 대입하면 $3\times2+2y=10$

$2y=4$　$\therefore y=2$

따라서 연립방정식의 해는 $x=2$, $y=2$이므로 $a=2$, $b=2$

$\therefore ab=4$

4 $\begin{cases} 3x-2y=-2 & \cdots ㉠ \\ x-3y=4 & \cdots ㉡ \end{cases}$

㉠－㉡×3을 하면 $7y=-14$

바른답 · 알찬풀이

$\therefore y=-2$

$y=-2$를 ㉡에 대입하면 $x-3\times(-2)=4$

$\therefore x=-2$

따라서 연립방정식의 해는 $x=-2$, $y=-2$이므로

$a=-2$, $b=-2$

$\therefore a+b=-4$

5 $\begin{cases} 4x-y=3 & \cdots ㉠ \\ 2x+y=9 & \cdots ㉡ \end{cases}$에서

㉠+㉡을 하면 $6x=12$

$\therefore x=2$

$x=2$를 ㉡에 대입하면

$2\times2+y=9$ $\therefore y=5$

따라서 연립방정식의 해는 $x=2$, $y=5$이므로

$x=2$, $y=5$를 $-2x+3y=a$에 대입하면

$a=-2\times2+3\times5=11$

6 $x=2$, $y=1$을 각 방정식에 대입하면

$\begin{cases} 2a+b=5 & \cdots ㉠ \\ -a+2b=-5 & \cdots ㉡ \end{cases}$

㉠+㉡×2를 하면 $5b=-5$

$\therefore b=-1$

$b=-1$을 ㉡에 대입하면 $-a+2\times(-1)=-5$

$-a=-3$ $\therefore a=3$

$\therefore a+b=3+(-1)=2$

7 $\begin{cases} y=-4x+5 & \cdots ㉠ \\ 3x+2y=-5 & \cdots ㉡ \end{cases}$

㉠을 ㉡에 대입하면 $3x+2(-4x+5)=-5$

$-5x=-15$ $\therefore x=3$

$x=3$을 ㉠에 대입하면 $y=-4\times3+5=-7$

$x=3$, $y=-7$을 $kx-2y+4=0$에 대입하면

$3k-2\times(-7)+4=0$, $3k=-18$

$\therefore k=-6$

8 괄호를 풀어 정리하면

$\begin{cases} 3x-2y=1 & \cdots ㉠ \\ 2x-4y=10 & \cdots ㉡ \end{cases}$

㉠×2-㉡을 하면 $4x=-8$

$\therefore x=-2$

$x=-2$를 ㉠에 대입하면

$3\times(-2)-2y=1$, $-2y=7$

$\therefore y=-\dfrac{7}{2}$

$\therefore ab=(-2)\times\left(-\dfrac{7}{2}\right)=7$

9 주어진 연립방정식을 정리하면

$\begin{cases} 3x-5y=-1 \\ 0.6x-0.7y=0.4 \end{cases}$, $\begin{cases} 3x-5y=-1 & \cdots ㉠ \\ 6x-7y=4 & \cdots ㉡ \end{cases}$

㉠×2-㉡을 하면 $-3y=-6$

$\therefore y=2$

$y=2$를 ㉠에 대입하면 $3x-5\times2=-1$

$3x=9$ $\therefore x=3$

따라서 연립방정식의 해는 $x=3$, $y=2$

10 연립방정식 $\begin{cases} 3(x-2y)=4x+11 \\ 2x:3y=2:5 \end{cases}$를 변형하면

$\begin{cases} -x-6y=11 & \cdots ㉠ \\ 6y=10x & \cdots ㉡ \end{cases}$

㉠에 ㉡을 대입하면 $-x-10x=11$

$-11x=11$ $\therefore x=-1$

$x=-1$을 ㉡에 대입하면

$6y=10\times(-1)$ $\therefore y=-\dfrac{5}{3}$

따라서 $a=-1$, $b=-\dfrac{5}{3}$이므로

$a+3b=(-1)+3\times\left(-\dfrac{5}{3}\right)=-6$

11 주어진 연립방정식을 만족하는 x의 값이 y의 값의 3배이므로

$x=3y$

$\begin{cases} 2x-3(x+y)=2 \\ x=3y \end{cases}$를 정리하면

$\begin{cases} -x-3y=2 & \cdots ㉠ \\ x=3y & \cdots ㉡ \end{cases}$

㉡을 ㉠에 대입하면 $-3y-3y=2$

$-6y=2$ $\therefore y=-\dfrac{1}{3}$

$y=-\dfrac{1}{3}$을 ㉡에 대입하면

$x=3\times\left(-\dfrac{1}{3}\right)=-1$

따라서 연립방정식의 해가 $\left(-1, -\dfrac{1}{3}\right)$이므로

$x-\dfrac{3}{2}(y-1)=4-a$에 대입하면

$-1-\dfrac{3}{2}\times\left(-\dfrac{1}{3}-1\right)=4-a$

$-1+2=4-a$

$\therefore a=3$

12 연립방정식 $\begin{cases} ax+by=-4 \\ bx+ay=5 \end{cases}$의 a, b를 바꾸어 놓고 풀었을 때

해가 $x=-2$, $y=1$이므로

$\begin{cases} a-2b=-4 & \cdots ㉠ \\ -2a+b=5 & \cdots ㉡ \end{cases}$

$\bigcirc \times 2 + \bigcirc$을 하면 $-3b=-3$

$\therefore b=1$

$b=1$을 $\bigcirc$에 대입하면 $a-2=-4$

$\therefore a=-2$

$a=-2$, $b=1$을 처음에 주어진 방정식에 대입하면

$\begin{cases} -2x+y=-4 & \cdots \text{©} \\ x-2y=5 & \cdots \text{©} \end{cases}$

©$+$©$\times 2$를 하면 $-3y=6$

$\therefore y=-2$

$y=-2$를 ©에 대입하면 $x-2\times(-2)=5$

$\therefore x=1$

따라서 처음 연립방정식의 해는 $(1, -2)$이다.

13 두 연립방정식의 해가 같으므로

$\begin{cases} 5x-3y=2 & \cdots \bigcirc \\ -2x+y=1 & \cdots \bigcirc \end{cases}$

$\bigcirc + \bigcirc \times 3$을 하면 $-x=5$

$\therefore x=-5$

$x=-5$를 $\bigcirc$에 대입하면 $-2\times(-5)+y=1$

$\therefore y=-9$

따라서 연립방정식의 해는 $x=-5$, $y=-9$이다.

$x=-5$, $y=-9$를 $x+ay=4$에 대입하면

$(-5)+a\times(-9)=4$

$\therefore a=-1$

$x=-5$, $y=-9$를 $bx-y=-6$에 대입하면

$-5b-(-9)=-6$

$\therefore b=3$

$\therefore b-a=3-(-1)=4$

14 $\dfrac{6x+2y}{5}=\dfrac{3x-2y}{4}=2$를 변형하면

$\begin{cases} \dfrac{6x+2y}{5}=2 \\ \dfrac{3x-2y}{4}=2 \end{cases}$에서

$\begin{cases} 6x+2y=10 & \cdots \bigcirc \\ 3x-2y=8 & \cdots \bigcirc \end{cases}$

$\bigcirc + \bigcirc$을 하면 $9x=18$

$\therefore x=2$

$x=2$를 $\bigcirc$에 대입하면 $3\times 2-2y=8$

$\therefore y=-1$

따라서 연립방정식의 해는 $x=2$, $y=-1$이므로

$x=2$, $y=-1$을 $x+2y=k$에 대입하면

$k=2+2\times(-1)=0$

15 연립방정식 $4x-3y=3x+y-1=x+2y+4$는

$\begin{cases} 4x-3y=3x+y-1 \\ 3x+y-1=x+2y+4 \end{cases}$로 놓고 풀 수 있다.

정리하면 $\begin{cases} x-4y=-1 & \cdots \bigcirc \\ 2x-y=5 & \cdots \bigcirc \end{cases}$

$\bigcirc \times 2 - \bigcirc$을 하면 $-7y=-7$

$\therefore y=1$

$y=1$을 $\bigcirc$에 대입하면 $x-4\times 1=-1$

$\therefore x=3$

따라서 연립방정식의 해는 $(3, 1)$이다.

16 연립방정식 $\begin{cases} 3x-y=2 & \cdots \bigcirc \\ x+2y=10 & \cdots \bigcirc \end{cases}$에서

$\bigcirc \times 2 + \bigcirc$을 하면 $7x=14$

$\therefore x=2$

$x=2$를 $\bigcirc$에 대입하면 $3\times 2-y=2$

$\therefore y=4$

따라서 두 일차방정식의 해가 $x=2$, $y=4$이므로

$x=2$, $y=4$를 $5x-ay=-2$에 대입하면

$5\times 2-4a=-2$

$\therefore a=3$

10 연립방정식의 활용

본문 pp. 86~93

기본 체크

01 $\begin{cases} x+y=13 \\ 2x+4y=32 \end{cases}$

02 $x=10$, $y=3$

대표 예제

1 효자손의 개수를 x개, 조각 인형의 개수를 y개라고 하면

$\begin{cases} x+y=\boxed{6} & \cdots\cdots \text{①} \\ 1000x+1500y=\boxed{8000} & \cdots\cdots \text{②} \end{cases}$

①의 양변에 2를 곱하면 $2x+2y=\boxed{12}$ $\cdots\cdots$ ③

②의 양변을 500으로 나누면 $2x+3y=\boxed{16}$ $\cdots\cdots$ ④

③에서 ④를 변끼리 빼면 $-y=\boxed{-4}$, 즉 $y=\boxed{4}$

$y=\boxed{4}$를 ①에 대입하면 $x+4=\boxed{6}$, 즉 $x=\boxed{2}$

따라서 효자손은 $\boxed{2}$개, 조각 인형은 $\boxed{4}$개이다.

[검토]

$x=\boxed{2}$, $y=\boxed{4}$를 ①, ②에 각각 대입하면

$2+\boxed{4}=\boxed{6}$, $1000\times\boxed{2}+1500\times\boxed{4}=\boxed{8000}$이므로 문제의

뜻에 맞다.

2 예림이의 나이를 x살, 남동생의 나이를 y살이라고 하자.

예림이와 남동생의 나이 차는 7살이므로 $\boxed{x-y}=7$

두 사람의 나이의 합이 21살이므로 $\boxed{x+y}=21$

연립방정식을 세우면 $\begin{cases} \boxed{x-y}=7 & \cdots\cdots \text{①} \\ \boxed{x+y}=21 & \cdots\cdots \text{②} \end{cases}$

①과 ②를 변끼리 더하면 $\boxed{2x}=28$, 즉 $x=\boxed{14}$

$x=\boxed{14}$를 ①에 대입하면 $\boxed{14-y}=7$, 즉 $y=\boxed{7}$

따라서 예림이의 나이는 $\boxed{14}$ 살이고 남동생의 나이는 $\boxed{7}$ 살이다.

[검토]

예림이의 나이가 $\boxed{14}$ 살이고 남동생의 나이는 $\boxed{7}$ 살이면 $\boxed{14}-\boxed{7}=\boxed{7}$, $\boxed{14}+\boxed{7}=\boxed{21}$ 이므로 문제의 뜻에 맞는다.

3 시속 4 km로 걸은 거리를 x km, 시속 2 km로 걸은 거리를 y km라고 하자.

총 거리가 7 km이므로 $\boxed{x+y}=7$

총 2시간 만에 둘레길 걷기를 마쳤으므로 $\boxed{\dfrac{x}{4}+\dfrac{y}{2}}=2$

연립방정식 $\begin{cases} \boxed{x+y}=7 \\ \boxed{\dfrac{x}{4}+\dfrac{y}{2}}=2 \end{cases}$ 를 풀면 $x=\boxed{6}$, $y=\boxed{1}$

따라서 시속 4 km로 걸은 거리는 $\boxed{6}$ km, 시속 2 km로 걸은 거리는 $\boxed{1}$ km이다.

[검토]

$\boxed{6}+\boxed{1}=7$, $\dfrac{6}{4}+\dfrac{\boxed{1}}{\boxed{2}}=2$ 이므로 문제의 뜻에 맞는다.

어떤 교과서에나 나오는 문제   출제율 100% 기본기 쌓기

01 6, 9	02 ②	03 57	04 ③	05 ⑤
06 ①	07 ③	08 1 km		

1 두 자연수를 x, y라고 하자. $(x>y)$

합이 15이고, 차가 3이므로 연립방정식으로 나타내면

$\begin{cases} x+y=15 & \cdots \text{㉠} \\ x-y=3 & \cdots \text{㉡} \end{cases}$

㉠+㉡을 하면 $2x=18$

$\therefore x=9$

$x=9$를 ㉠에 대입하면 $9+y=15$

$\therefore y=6$

따라서 두 자연수는 9, 6이다.

2 $\begin{cases} x+y=2 & \cdots \text{㉠} \\ 2x+y=8 & \cdots \text{㉡} \end{cases}$

㉡-㉠을 하면 $x=6$

$x=6$을 ㉠에 대입하면 $6+y=2$

$\therefore y=-4$

$\therefore xy=6\times(-4)=-24$

3 십의 자리의 숫자를 x, 일의 자리의 숫자를 y라고 하면

$\begin{cases} y=2x-3 & \cdots \text{㉠} \\ x+y=12 & \cdots \text{㉡} \end{cases}$

㉠을 ㉡에 대입하면 $x+(2x-3)=12$

$3x-3=12$, $3x=15$

$\therefore x=5$

$x=5$를 ㉠에 대입하면 $y=2\times5-3=7$

따라서 두 자리 자연수는 57이다.

4 자전거의 수를 x대, 승용차의 수를 y대라고 하면

$\begin{cases} x+y=24 & \cdots \text{㉠} \\ 2x+4y=80 & \cdots \text{㉡} \end{cases}$

㉡-㉠×2를 하면 $2y=32$

$\therefore y=16$

$y=16$을 ㉠에 대입하면 $x+16=24$

$\therefore x=8$

따라서 자전거는 8대, 승용차는 16대이므로 승용차가 자전거보다 8대 더 많다.

5 민서의 돼지 저금통에 들어 있는 100원짜리 동전의 개수를 x개, 500원짜리 동전의 개수를 y개라고 하면

$\begin{cases} x+y=30 & \cdots \text{㉠} \\ 100x+500y=4600 & \cdots \text{㉡} \end{cases}$

㉡-㉠×100을 하면 $400y=1600$

$\therefore y=4$

$y=4$를 ㉠에 대입하면 $x+4=30$

$\therefore x=26$

따라서 100원짜리 동전의 개수는 26개이다.

6 병욱이가 성공한 2점 슛을 x개, 3점 슛을 y개라고 하면

$\begin{cases} x+y=10 & \cdots \text{㉠} \\ 2x+3y=23 & \cdots \text{㉡} \end{cases}$

㉡-㉠×2를 하면 $y=3$

$y=3$을 ㉠에 대입하면 $x+3=10$

$\therefore x=7$

따라서 3점 슛은 3개 성공하였다.

7 처음 직사각형의 가로와 세로의 길이를 각각 x, y라고 하면

$\begin{cases} 2(x+y)=40 \\ 2\{(x+2)+2y\}=40\times\dfrac{3}{2} \end{cases}$

정리하면 $\begin{cases} x+y=20 & \cdots \text{㉠} \\ x+2y=28 & \cdots \text{㉡} \end{cases}$

㉡-㉠을 하면 $y=8$

$y=8$을 ㉠에 대입하면 $x+8=20$

$\therefore x=12$

따라서 처음 직사각형의 가로의 길이는 12 cm이다.

8 윤천이가 걸은 거리를 x km, 종광이가 걸은 거리를 y km라고 하면

$\begin{cases} x+y=5 \\ \dfrac{x}{6}=\dfrac{y}{4} \end{cases}$ 에서 $\begin{cases} x+y=5 & \cdots \text{㉠} \\ x=\dfrac{3}{2}y & \cdots \text{㉡} \end{cases}$

ⓒ을 ⊙에 대입하면 $\dfrac{3}{2}y+y=5$

$\therefore y=2$

$y=2$를 ⊙에 대입하면 $x+2=5$

$\therefore x=3$

따라서 윤천이는 3 km, 종광이는 2 km 걸었으므로 윤천이는 종광이보다 1 km를 더 걸었다.

1 큰 수를 x, 작은 수를 y라고 하면

$\begin{cases} x-y=17 \\ 2x=5y+1 \end{cases}$ 에서 $\begin{cases} x-y=17 & \cdots ⊙ \\ 2x-5y=1 & \cdots ⓒ \end{cases}$

⊙×2−ⓒ을 하면 $3y=33$

$\therefore y=11$

$y=11$을 ⊙에 대입하면 $x-11=17$

$\therefore x=28$

따라서 큰 수는 28이다.

2 큰 수를 x, 작은 수를 y라고 하면

$\begin{cases} x+y=31 & \cdots ⊙ \\ x=6y+3 & \cdots ⓒ \end{cases}$

ⓒ을 ⊙에 대입하면

$(6y+3)+y=31$, $7y+3=31$

$\therefore y=4$

$y=4$를 ⓒ에 대입하면 $x=6\times4+3=27$

따라서 큰 수는 27, 작은 수는 4이므로 두 수의 차는

$27-4=23$

3 십의 자리 숫자를 x, 일의 자리 숫자를 y라고 하면

$\begin{cases} x+y=10 \\ 10y+x=2(10x+y)-1 \end{cases}$

에서 $\begin{cases} x+y=10 & \cdots ⊙ \\ 19x-8y=1 & \cdots ⓒ \end{cases}$

⊙×8+ⓒ을 하면 $27x=81$

$\therefore x=3$

$x=3$을 ⊙에 대입하면 $3+y=10$

$\therefore y=7$

따라서 처음 두 자리 자연수는 37이다.

4 현재 어머니의 나이를 x, 아들의 나이를 y라고 하면

$\begin{cases} x-5=4(y-5) \\ x+10=2(y+10)+5 \end{cases}$

에서 $\begin{cases} x-4y=-15 & \cdots ⊙ \\ x-2y=15 & \cdots ⓒ \end{cases}$

⊙−ⓒ을 하면 $-2y=-30$

$\therefore y=15$

$y=15$를 ⓒ에 대입하면 $x-2\times15=15$

$\therefore x=45$

따라서 현재 어머니의 나이는 45살이다.

5 누나의 나이를 x, 동생의 나이를 y라고 하면

$\begin{cases} x+y=34 & \cdots ⊙ \\ x-y=4 & \cdots ⓒ \end{cases}$

⊙+ⓒ을 하면 $2x=38$

$\therefore x=19$

$x=19$를 ⊙에 대입하면 $19+y=34$

$\therefore y=15$

따라서 누나의 나이는 19살이다.

6 현재 아버지의 나이를 x살, 아들의 나이를 y살이라고 하면

$\begin{cases} x+y=63 \\ x+12=2(y+12)+6 \end{cases}$

에서 $\begin{cases} x+y=63 & \cdots ⊙ \\ x-2y=18 & \cdots ⓒ \end{cases}$

⊙−ⓒ을 하면 $3y=45$

$\therefore y=15$

$y=15$를 ⊙에 대입하면 $x+15=63$

$\therefore x=48$

따라서 현재 아버지의 나이는 48살이다.

7 아이스크림을 x개, 음료수를 y개라고 하면

$\begin{cases} x+y=11 & \cdots ⊙ \\ 1000x+800y=9800 & \cdots ⓒ \end{cases}$

⊙×1000−ⓒ을 하면 $200y=1200$

$\therefore y=6$

$y=6$을 ⊙에 대입하면 $x+6=11$

$\therefore x=5$

따라서 아이스크림은 5개 샀다.

8 긴 끈의 길이를 x, 짧은 끈의 길이를 y라고 하면

$\begin{cases} x+y=300 & \cdots ⊙ \\ x=4y & \cdots ⓒ \end{cases}$

ⓒ을 ⊙에 대입하면 $4y+y=300$

$5y=300$ $\therefore y=60$

$y=60$을 ⓒ에 대입하면 $x=4\times60=240$

따라서 긴 끈의 길이는 240 cm이다.

9 가로의 길이를 x, 세로의 길이를 y라고 하면

$\begin{cases} x=y+5 & \cdots ⊙ \\ 2(x+y)=30 & \cdots ⓒ \end{cases}$

⊙을 ⓒ에 대입하면 $2(y+5+y)=30$

$4y+10=30$, $4y=20$

$\therefore y=5$

$y=5$를 ⊙에 대입하면 $x=5+5=10$

따라서 직사각형의 가로의 길이는 10 cm, 세로의 길이는 5 cm이므로 넓이는

$10 \times 5 = 50 (\text{cm}^2)$

10 아랫변의 길이를 $x\,\text{cm}$, 윗변의 길이를 $y\,\text{cm}$라고 하면

$$\begin{cases} x = 3y - 2 \\ (x+y) \times 8 \times \dfrac{1}{2} = 56 \end{cases}$$

에서 $\begin{cases} x = 3y - 2 & \cdots \ \bigcirc \\ x + y = 14 & \cdots \ \bigcirc \end{cases}$

$\bigcirc$을 $\bigcirc$에 대입하면 $(3y-2) + y = 14$

$\therefore y = 4$

$y = 4$를 $\bigcirc$에 대입하면 $x = 3 \times 4 - 2 = 10$

따라서 아랫변의 길이는 10 cm이다.

11 남학생 수를 x, 여학생 수를 y라고 하면

$$\begin{cases} x + y = 32 \\ \dfrac{2}{9}x + \dfrac{3}{7}y = 10 \end{cases}$$

에서 $\begin{cases} x + y = 32 & \cdots \ \bigcirc \\ 14x + 27y = 630 & \cdots \ \bigcirc \end{cases}$

$\bigcirc - \bigcirc \times 14$를 하면 $13y = 182$

$\therefore y = 14$

$y = 14$를 $\bigcirc$에 대입하면 $x + 14 = 32$

$\therefore x = 18$

따라서 남학생 수는 18명이다.

12 남학생 수를 x, 여학생 수를 y라고 하면

$$\begin{cases} x + y = 30 \\ \dfrac{7x + 8.5y}{30} = 7.5 \end{cases}$$

에서 $\begin{cases} x + y = 30 & \cdots \ \bigcirc \\ 7x + 8.5y = 225 & \cdots \ \bigcirc \end{cases}$

$\bigcirc - \bigcirc \times 7$을 하면 $1.5y = 15$

$\therefore y = 10$

$y = 10$을 $\bigcirc$에 대입하면 $x + 10 = 30$

$\therefore x = 20$

따라서 여학생들은 모두 10명이다.

13 시속 12 km의 속력으로 달린 거리를 x km, 시속 9 km로 달린 거리를 y km라고 하면

$$\begin{cases} x + y = 10 \\ \dfrac{x}{12} + \dfrac{y}{9} = 1 \end{cases}$$

에서 $\begin{cases} x + y = 10 & \cdots \ \bigcirc \\ 3x + 4y = 36 & \cdots \ \bigcirc \end{cases}$

$\bigcirc \times 4 - \bigcirc$을 하면 $x = 4$

$x = 4$를 $\bigcirc$에 대입하면 $4 + y = 10$

$\therefore y = 6$

따라서 시속 9km로 달린 거리는 6km이다.

14 작년의 남학생, 여학생 수를 각각 x명, y명이라고 하면

$$\begin{cases} x + y = 600 & \cdots \ \bigcirc \\ \dfrac{5}{100}x - \dfrac{10}{100}y = -3 & \cdots \ \bigcirc \end{cases}$$

$\bigcirc - \bigcirc \times 20$을 하면 $3y = 660$

$\therefore y = 220$

$y = 220$을 $\bigcirc$에 대입하면 $x + 220 = 600$

$\therefore x = 380$

따라서 구하는 작년의 여학생 수는 220명이다.

15 원가가 1000원인 제품 A와 원가가 500원인 제품 B를 구입한 수를 각각 x, y라고 하면

$$\begin{cases} x + y = 400 \\ \dfrac{15}{100} \times 1000x + \dfrac{20}{100} \times 500y = 55000 \end{cases}$$

에서 $\begin{cases} x + y = 400 & \cdots \ \bigcirc \\ 150x + 100y = 55000 & \cdots \ \bigcirc \end{cases}$

$\bigcirc - \bigcirc \times 100$을 하면 $50x = 15000$

$\therefore x = 300$

$x = 300$을 $\bigcirc$에 대입하면 $300 + y = 400$

$\therefore y = 100$

따라서 구입한 제품 A의 개수는 300개이다.

16 전체 일의 양을 1로 놓고, 재희와 준희가 하루에 할 수 있는 일의 양을 각각 x, y라고 하면

$$\begin{cases} 2x + 6y = 1 & \cdots \ \bigcirc \\ 4x + 3y = 1 & \cdots \ \bigcirc \end{cases}$$

$\bigcirc \times 2 - \bigcirc$을 하면 $9y = 1$

$\therefore y = \dfrac{1}{9}$

$y = \dfrac{1}{9}$을 $\bigcirc$에 대입하면

$2x + 6 \times \dfrac{1}{9} = 1 \quad \therefore x = \dfrac{1}{6}$

따라서 준희가 혼자하면 9일이 걸린다.

단원종합문제   본문 pp. 94~97

01 ①, ⑤	02 ⑤	03 ⑤	04 ④	05 ⑤
06 ①	07 ②	08 ③	09 ②	10 ③
11 ⑤	12 ①	13 ④	14 ②	15 ④
16 ⑤	17 ⑤	18 ⑤	19 3	20 6
21 −1	22 −4	23 12일	24 95명	

1 미지수가 2개인 일차방정식은 $ax + by + c = 0\,(a, b, c$는 상수, $a \neq 0$, $b \neq 0)$과 같이 나타낼 수 있으므로 ①, ⑤이다.

2 $(2, a)$를 $2x + y = 7$에 대입하면

$4 + a = 7 \quad \therefore a = 3$

$(b, -3)$을 $2x+y=7$에 대입하면

$2b-3=7$ ∴ $b=5$

∴ $a+b=3+5=8$

3 ① $3x+y=6$의 해는 $(1, 3)$

② $3x-2y=1$의 해는 $(1, 1)$, $(3, 4)$, …

③ $4x-y=2$의 해는 $(1, 2)$, $(2, 6)$, …

④ $x+2y=8$의 해는 $(2, 3)$, $(4, 2)$, $(6, 1)$

⑤ x, y의 대응표를 만들면 다음과 같다.

x	1	2	3	4	5	…
y	$\dfrac{1}{3}$	$-\dfrac{1}{3}$	-1	$-\dfrac{5}{3}$	$-\dfrac{7}{3}$	…

$x \geq 2$인 자연수에 대한 y의 값은 모두 음수임을 알 수 있다.

따라서 x, y가 자연수일 때, 일차방정식 ⑤ $2x+3y=3$의 해는 없다.

4 연립방정식 $\begin{cases} x+y=5 \\ x+ay=8 \end{cases}$의 해가 $(2, b)$이므로

$x+y=5$에 $(2, b)$를 대입하면

$2+b=5$ ∴ $b=3$

$(2, 3)$을 $x+ay=8$에 대입하면

$2+a \times 3=8$ ∴ $a=2$

5 $x=3$, $y=b$가 연립방정식 $\begin{cases} x+y=5 \\ ax-y=10 \end{cases}$의 해이므로

대입하면

$\begin{cases} 3+b=5 & \cdots ㉠ \\ 3a-b=10 & \cdots ㉡ \end{cases}$

㉠에서 $b=5-3=2$

$b=2$를 ㉡에 대입하면 $3a-2=10$

$3a=12$ ∴ $a=4$

∴ $a-b=4-2=2$

6 x를 소거하기 위해 x의 계수를 12로 만들어 주기 위해

㉠ × 4를 하면 $12x+32y=120$

㉡ × 3을 하면 $12x+15y=69$

㉠ × 4 - ㉡ × 3을 하면 $17y=51$이 되어 x가 소거된다.

따라서 필요한 계산 식은 ① ㉠ × 4 - ㉡ × 3이다.

7 $\begin{cases} 3x-4y=-15 & \cdots ㉠ \\ 2x+3y=7 & \cdots ㉡ \end{cases}$

㉠ × 3 + ㉡ × 4를 하면 $17x=-17$

∴ $x=-1$

$x=-1$을 ㉡에 대입하면 $-2+3y=7$

∴ $y=3$

∴ $4x-y=-4-3=-7$

8 $x=1$, $y=3$을 주어진 연립방정식에 대입하면

$\begin{cases} a+3b=-1 & \cdots ㉠ \\ -b+3a=7 & \cdots ㉡ \end{cases}$

㉠ × 3 - ㉡을 하면 $10b=-10$

∴ $b=-1$

$b=-1$을 ㉠에 대입하면 $a-3=-1$

∴ $a=2$

∴ $a-b=2-(-1)=3$

9 $\begin{cases} x-2y=2 & \cdots ㉠ \\ x=y-3 & \cdots ㉡ \end{cases}$

㉡을 ㉠에 대입하면 $(y-3)-2y=2$

$-y=5$ ∴ $y=-5$

$y=-5$를 ㉡에 대입하면 $x=-5-3=-8$

따라서 연립방정식의 해가 $x=-8$, $y=-5$이므로

$2x-3y=a$에 대입하면

$2 \times (-8)-3 \times (-5)=a$

∴ $a=-1$

10 $\begin{cases} 0.7x+0.4y=1.5 \\ \dfrac{-x+2y}{5}=-3 \end{cases}$에서

$\begin{cases} 7x+4y=15 & \cdots ㉠ \\ -x+2y=-15 & \cdots ㉡ \end{cases}$

㉠ - ㉡ × 2를 하면 $9x=45$

∴ $x=5$

$x=5$를 ㉡에 대입하면 $-5+2y=-15$

$2y=-10$ ∴ $y=-5$

따라서 연립방정식의 해는 $x=5$, $y=-5$이므로

$k=5+(-5)=0$

11 $\begin{cases} 4(x-y)-3(2x-y)=-11 \\ x=3y-5 \end{cases}$에서

$\begin{cases} -2x-y=-11 & \cdots ㉠ \\ x=3y-5 & \cdots ㉡ \end{cases}$

㉡을 ㉠에 대입하면 $-2(3y-5)-y=-11$

$-7y=-21$ ∴ $y=3$

$y=3$을 ㉡에 대입하면 $x=3 \times 3-5=4$

따라서 연립방정식의 해는 $x=4$, $y=3$이므로

$\dfrac{1}{4}x-\dfrac{2}{3}y=-a+6$에 대입하면

$\dfrac{1}{4} \times 4-\dfrac{2}{3} \times 3=-a+6$

$-1=-a+6$ ∴ $a=7$

12 연립방정식 $x+2y=ax-4y=5$에서

$x+2y=5$에 $x=-3$을 대입하면

$-3+2y=5$, $2y=8$

∴ $y=4$

따라서 연립방정식의 해가 $x=-3$, $y=4$이므로

$ax-4y=5$에 대입하면

$-3a-4 \times 4=5$, $-3a=21$

∴ $a=-7$

13 연립방정식 $\begin{cases} 2x-3y=a \\ -6x+by=3 \end{cases}$의 해가 없으려면

$\dfrac{2}{-6}=\dfrac{-3}{b}\neq\dfrac{a}{3}$ 를 만족하면 된다.

$\therefore a\neq-1,\ b=9$

14 $\begin{cases} 3x-2y=5 \\ 2(x-y)-8x+6y=a \end{cases}$ 에서 $\begin{cases} 3x-2y=5 \\ -6x+4y=a \end{cases}$

이 연립방정식의 해가 무수히 많으므로

$\dfrac{3}{-6}=\dfrac{-2}{4}=\dfrac{5}{a}$ $\therefore a=-10$

15 $(x-1):(y+2)=2:3$ 에서

$2y+4=3x-3$ $\therefore 3x-2y=7$

즉, 연립방정식 $\begin{cases} 3x-2y=7 \\ 2x+y=5 \end{cases}$ 를 풀면

$x=\dfrac{17}{7},\ y=\dfrac{1}{7}$

$\therefore a+b=\dfrac{18}{7}$

16 큰 수를 x, 작은 수를 y라고 하면

$\begin{cases} x+y=40 \\ x=3y+4 \end{cases}$

이 연립방정식을 풀면 $x=31,\ y=9$

따라서 두 수의 차는 $31-9=22$

17 학생 수를 x명, 의자 수를 y개라고 하면

$\begin{cases} x=3y+1 & \cdots\ \bigcirc \\ x=4(y-4) & \cdots\ \bigcirc \end{cases}$

$\bigcirc$, $\bigcirc$에서 $3y+1=4(y-4)$

$3y+1=4y-16$ $\therefore y=17$

$y=17$을 $\bigcirc$에 대입하면 $x=3\times17+1=52$

따라서 이 동아리 학생 수는 52명이다.

18 기차의 길이를 xm, 기차의 속력을 초속 ym라고 하면

$\begin{cases} 200+x=7y & \cdots\ \bigcirc \\ 350+x=10y & \cdots\ \bigcirc \end{cases}$

$\bigcirc-\bigcirc$을 하면 $150=3y$

$\therefore y=50$

$y=50$을 $\bigcirc$에 대입하면 $200+x=7\times50$

$\therefore x=150$

따라서 기차의 길이는 150 m이다.

19 $x,\ y$가 자연수일 때, 일차방정식 $3x+y=12$를 참이 되게 하는 값을 찾으면 $(1,\ 9),\ (2,\ 6),\ (3,\ 3)$이므로 해는 모두 3개이다.

20 $(b,\ 3)$을 주어진 연립방정식에 각각 대입하면

$5b-6=a,\ -2b+9=5$

$\therefore a=4,\ b=2$

$\therefore a+b=4+2=6$

21 연립방정식을 만족하는 x의 값이 y의 값보다 2만큼 크므로

$x=y+2$

$x=y+2$를 $2x-y=-5$에 대입하면

$2(y+2)-y=-5$ $\therefore y=-9$

$y=-9$를 $x=y+2$에 대입하면 $x=-7$

따라서 $x=-7$, $y=-9$를 $ax+y=-2$에 대입하면

$-7a-9=-2$

$\therefore a=-1$

22 $\begin{cases} 2x=-3y+4 \\ 2x=5y-12 \end{cases}$ 에서

$-3y+4=5y-12,\ 8y=16$

$\therefore y=2$

$y=2$를 첫 번째 식에 대입하면

$2x=-3\times2+4,\ 2x=-2$

$\therefore x=-1$

따라서 연립방정식의 해는 $x=-1,\ y=2$이므로

$2ax-3y=-10$에 $x=-1,\ y=2$를 대입하면

$2a\times(-1)-3\times2=-10,\ -2a=-4$

$\therefore a=2$

$x-\dfrac{1}{2}y=b$에 $x=-1,\ y=2$를 대입하면

$-1-\dfrac{1}{2}\times2=b$ $\therefore b=-2$

$\therefore ab=2\times(-2)=-4$

23 전체 일의 양을 1로 놓고 A, B가 하루에 할 수 있는 일의 양을 각각 $x,\ y$라 하면

A와 B가 함께 4일 동안 작업하여 끝낼 수 있으므로

$4x+4y=1$ $\cdots\ \bigcirc$

A가 2일 동안 작업한 뒤, B가 8일 동안 작업하여 끝냈으므로

$2x+8y=1$ $\cdots\ \bigcirc$

$\bigcirc$, $\bigcirc$을 연립하여 풀면 $x=\dfrac{1}{6},\ y=\dfrac{1}{12}$

따라서 B가 하루에 할 수 있는 일의 양은 전체의 $\dfrac{1}{12}$이므로 B가 혼자서 작업하면 12일이 걸린다.

24 작년에 입학한 남학생 수를 x명, 여학생 수를 y명이라고 하면

$\begin{cases} x+y=240 \\ \dfrac{10}{100}x-\dfrac{5}{100}y=9 \end{cases}$

정리하면 $\begin{cases} x+y=240 & \cdots\ \bigcirc \\ 2x-y=180 & \cdots\ \bigcirc \end{cases}$

$\bigcirc+\bigcirc$을 하면 $3x=420$

$\therefore x=140$

$x=140$을 $\bigcirc$에 대입하면 $140+y=240$

$\therefore y=100$

따라서 작년에 입학한 남학생 수는 140명, 여학생 수는 100명

이므로 올해 입학한 여학생 수는

$$100-\frac{5}{100}\times100=95(명)$$

Ⅵ. 일차함수

11 함수의 뜻

본문 pp. 98~105

기본 체크

01 (1)

x	1	2	3	4	5
y	4	8	12	16	20

(2) y는 x의 함수이다.

(3) $f(x)=4x$

02 (1) 3 (2) 6 (3) 9

대표 예제

1 (1) x명에게 y개씩 똑같이 나누어준 사탕의 개수가 $\boxed{32}$개이므로

$xy=\boxed{32}$에서 $y=\dfrac{32}{x}$이다.

이를 함수 $f(x)$로 나타내면 $f(x)=\dfrac{32}{x}$이다.

(2) $f(8)=\dfrac{32}{8}=\boxed{4}$

2 $f\left(\dfrac{1}{2}\right)=-4\times\dfrac{1}{2}+3=\boxed{-2}+3=\boxed{1}$이다.

3 $f(x)=-\dfrac{2}{x}$에 $x=-1,\ 2,\ 4$를 각각 대입하면

$f(-1)=\boxed{2}$, $f(2)=\boxed{-1}$, $f(4)=\boxed{-\dfrac{1}{2}}$이므로

$f(-1)+f(2)+f(4)=\boxed{\dfrac{1}{2}}$이다.

4 $f(n)=$(자연수 n을 6으로 나눈 나머지)이므로

$f(25)=$(자연수 25를 6으로 나눈 나머지)$=\boxed{1}$

$f(50)=$(자연수 50를 6으로 나눈 나머지)$=\boxed{2}$

$f(60)=$(자연수 60을 6으로 나눈 나머지)$=\boxed{0}$

$\therefore f(25)+f(50)+f(60)=\boxed{3}$

5 $x=\boxed{3}$을 대입하면

$\boxed{3a}=12$에서 $a=\boxed{4}$이다.

따라서, 함수의 식은 $f(x)=\boxed{4x}$이므로

$f(-3)=4\times(\boxed{-3})=\boxed{-12}$이다.

어떤 교과서에나 나오는 문제
출제율 100% 기본기 쌓기

01 ④	02 (1) $y=3x$ (2) 36 (3) 4		03 ①
04 (1) 3 (2) 1 (3) 0 (4) -1		05 ②	06 2
07 ②	08 1	09 ④	

1 ① $y=700x$

② $y=24-x$

③ $y=4x$

④ 절댓값이 2인 수는 2, -2이다.

⑤ $y=10x+5$

2 (1) (정삼각형의 둘레)$=$(한 변의 길이)$\times3$

$\therefore y=3x$

(2) $f(12)=3\times12=36$이므로 $a=36$

(3) $f(b)=12$에서 $3b=12$ $\therefore b=4$

3 $f(x)=-2x$에 $x=3$을 대입하면 $f(3)=-2\times3=-6$

4 $f(x)=1-2x$에 대하여

(1) $f(-1)=1-2\times(-1)=1+2=3$

(2) $f(0)=1$

(3) $f\left(\dfrac{1}{2}\right)=1-2\times\dfrac{1}{2}=1-1=0$

(4) $f(1)=1-2\times1=1-2=-1$

5 $f(x)=x-4$에서

$f(-1)-f(2)=(-1-4)-(2-4)$

$=-5-(-2)=-3$

6 $y=-3x-2$에서

$f(a)=-8$이므로

$-8=-3a-2$, $-3a=-6$ $\therefore a=2$

$f(b)=-5$이므로

$-5=-3b-2$, $-3b=-3$ $\therefore b=1$

$f(c)=-2$이므로

$-2=-3c-2$, $-3c=0$ $\therefore c=0$

$f(d)=1$이므로

$1=-3d-2$, $-3d=3$ $\therefore d=-1$

따라서, $a+b+c+d=2+1+0+(-1)=2$

7 $y=-\dfrac{3}{x}$의 y에 1과 3을 각각 대입하면

$x=-3,\ -1$이다.

따라서, $a=-3$, $b=-1$이므로

$a-b=-3-(-1)=-2$

8 함수 $y=\dfrac{a}{x}$에 대하여 $f(3)=5$이므로

$5=\dfrac{a}{3}$에서 $a=15$이다.

$f(6)=\dfrac{15}{6}=\dfrac{5}{2}$, $f(-10)=-\dfrac{15}{10}=-\dfrac{3}{2}$이므로

$f(6)+f(-10)=\dfrac{5}{2}-\dfrac{3}{2}=1$이다.

9 $f(x)=\dfrac{a}{x}$에 대하여 $f(-3)=12$이므로

$12=\dfrac{a}{-3}$ $\therefore a=-36$

$f(x)=\dfrac{-36}{x}$이므로 $f(4)=b$에서

$b=\dfrac{-36}{4}=-9$

$\therefore \dfrac{a}{b}=\dfrac{-36}{-9}=4$

시험에 꼭 나오는 문제

01 ⑤	02 3	03 $y=300x$	04 $y=10x$
05 (1) $y=1500x$	(2) $y=\dfrac{30}{x}$	(3) $y=30+x$	
06 ②	07 ②	08 132	09 ④ 10 ④
11 ④	12 ⑤	13 3	14 -6 15 ④
16 0	17 (1) $y=\dfrac{240}{x}$	(2) 3	(3) 2

1 ① 자연수 3의 배수는 무한히 많으므로 함수가 아니다.

② x가 2보다 큰 양수일 경우 x보다 작은 자연수는 2개 이상이므로 함수가 아니다.

③ 자연수 3의 약수는 1, 3이다.

④ 자연수 2와 서로소인 수는 3, 5, 7, 9, …이다.

2 xy의 값이 24로 일정하므로

$xy=24$ $\therefore y=\dfrac{24}{x}$

$f(x)=\dfrac{24}{x}$이므로 $f(8)=\dfrac{24}{8}=3$

3 (하루 도서관 요금 총액)$=300\times$(도서관을 이용한 인원수)이므로

$\therefore y=300x$

4 1 L에 10 km를 달릴 수 있고, x L의 휘발유로 y km를 달리므로 $y=10x$

6 ① $f(-5)=-2$

---

③ $f(0)=3$

④ $f(1)=4$

⑤ $f(3)=6$

7 ① $f(-3)=\dfrac{4}{3}\times(-3)=-4$

② $f(-3)=(-4)\times(-3)=12$

③ $f(-3)=\dfrac{36}{-3}=-12$

④ $f(-3)=(-2)\times(-3)+5=11$

⑤ $f(-3)=-\dfrac{12}{-3}=4$

8 $f(1)=\dfrac{16}{1}=16$, $f(2)=\dfrac{16}{2}=8$, $f(4)=\dfrac{16}{4}=4$

$\therefore f(1)\times f(2)+f(4)=16\times 8+4$
$=128+4=132$

9 $f(1)=3\times 1-2=3-2=1$

$f(3)=3\times 3-2=9-2=7$

$\therefore 3f(1)-2f(3)=3\times 1-2\times 7$
$=3-14$
$=-11$

10 $f(x)=ax$에서 $f(5)=20$이므로

$20=a\times 5$ $\therefore a=4$

따라서, $f(x)=4x$이므로

$f(3)=4\times 3=12$, $f(-1)=4\times(-1)=-4$

$\therefore 4f(3)-2f(-1)=4\times 12-2\times(-4)$
$=48+8=56$

11 $f(-5)=\dfrac{15}{-5}=-3$

$f(-3)=\dfrac{15}{-3}=-5$

$f(1)=\dfrac{15}{1}=15$

$\therefore f(-5)+f(-3)+f(1)=(-3)+(-5)+15=7$

12 $f(x)=ax-3$에서 $f(1)=7$이므로

$a\times 1-3=7$, $a-3=7$

$\therefore a=10$

13 $f(2)+f(3)+f(5)=21$에서

$(2a-3)+(3a-3)+(5a-3)=21$

$10a-9=21$

$10a=30$ $\therefore a=3$

14 $f(-1)=3$이므로 $-a=3$, $a=-3$

$\therefore f(x)=-3x$

따라서, $f(2)=-3\times 2=-6$

15 ④ $f(x)=5$가 되도록 하는 x의 값은 1이다.

16 $f(x)=ax$에서 $f(3)=15$이므로
$a\times3=15$ ∴ $a=5$
∴ $f(x)=5x$
$f(2)=5\times2=10$
$f(-3)=5\times(-3)=-15$
$f(k)=5\times k=5k$이므로
$3f(2)+2f(-3)=5f(k)$
$3\times10+2\times(-15)=5\times5k$
$30+(-30)=25k$
∴ $k=0$

17 (1) (시간) $=\dfrac{(거리)}{(속력)}$이므로 $y=\dfrac{240}{x}$

(2) $f(80)=\dfrac{240}{80}=3$

(3) $f(120)=\dfrac{240}{120}=2$

12 일차함수의 그래프의 삭과 활용
본문 pp. 106~113

기본 체크

01 (1) $y=4x+3$ (2) $y=\dfrac{1}{2}x-3$

02 (1) 5   (2) $\dfrac{1}{5}$ (3) -1 (4) $-\dfrac{2}{3}$

대표 예제

1 매분 2 L씩의 물을 받는다면 x분 후 수조에 담긴 물의 양은 $\boxed{2x}$ L가 늘어나므로 x분 후 수조에 담긴 물의 양은 ($\boxed{2x+10}$) L이다.
따라서 x와 y 사이의 관계를 식으로 나타내면 $y=\boxed{2x+10}$이고,
$\boxed{2x+10}$은 x에 관한 일차식이므로 y는 x에 관한 $\boxed{일차함수}$ 이다.

2 x절편은 $y=\boxed{0}$일 때의 x의 값이므로
$\boxed{0}=-2x+6$, $2x=\boxed{6}$, 즉 $x=\boxed{3}$
y절편은 $x=\boxed{0}$일 때의 y의 값이므로
$y=-2\times\boxed{0}+6$, 즉 $y=\boxed{6}$
따라서 x절편은 $\boxed{3}$, y절편은 $\boxed{6}$이다.

3 (1) 그래프가 두 점 $(-2, 0)$, $(3, 4)$를 지나므로
(기울기) $=\dfrac{(y의\ 값의\ 증가량)}{(x의\ 값의\ 증가량)}$
$=\dfrac{\boxed{4-0}}{\boxed{3-(-2)}}=\boxed{\dfrac{4}{5}}$

(2) 그래프가 두 점 $(0, -1)$, $(3, -4)$를 지나므로
(기울기) $=\dfrac{(y의\ 값의\ 증가량)}{(x의\ 값의\ 증가량)}$
$=\dfrac{\boxed{-4-(-1)}}{\boxed{3-0}}$
$=\boxed{\dfrac{-3}{3}}=\boxed{-1}$

4 두 일차함수 $y=-\dfrac{1}{2}x+1$과 $y=ax-1$의 그래프가 서로 평행하므로 두 일차함수의 그래프의 $\boxed{기울기}$는 같다.
∴ $a=\boxed{-\dfrac{1}{2}}$

어떤 교과서에나 나오는 문제
출제율 100% 기본기 쌓기

01 ③, ⑤	02 ③	03 ③	04 ③	05 ④
06 -2	07 ⑤	08 ⑤		

1 ① y가 x에 관한 이차식이므로 일차함수가 아니다.
② x의 항이 없으므로 일차함수가 아니다.
③ $y=\dfrac{x}{3}=\dfrac{1}{3}x$로 일차함수이다.
④ x항이 분모에 있으므로 일차함수가 아니다.
⑤ $y=2x-(5-2x)=4x-5$로 일차함수이다.

2 $f(-3)=\dfrac{1}{3}\times(-3)+2=1$

3 ③ $x=1$을 대입하면 $y=-3+2=-1$
즉, 점 $(1, -1)$을 지난다.

4 일차함수 $y=2x-4$의 그래프가 y축과 만나는 점의 좌표는 $(0, -4)$이다.

5 $y=3x-5$를 y축의 방향으로 9만큼 평행이동하면
$y=3x-5+9$이므로 $y=3x+4$

6 $y=-\dfrac{1}{4}x+5$의 기울기는 $-\dfrac{1}{4}$이고,
$-\dfrac{1}{4}=\dfrac{-2}{8}$이므로 x가 8만큼 증가하면
y는 -2만큼 증가한다.

7 오른쪽 위로 향하는 직선의 기울기는 양수이다.
따라서 오른쪽 위로 향하는 직선은 기울기가 3인 ⑤이다.

8 (기울기) $=\dfrac{(y의\ 값의\ 증가량)}{(x의\ 값의\ 증가량)}$이므로
$\dfrac{a-2}{1-3}=2$, $a-2=-4$
∴ $a=-2$

시험에 꼭 나오는 문제 기출 베스트 컬렉션

01 ④	02 ③	03 ③	04 ①	05 ⑤
06 ②	07 ③	08 ①	09 ①	10 ②
11 ④	12 ①	13 ③	14 ③	15 ⑤
16 ②				

1 ① $y=\pi x^2$이므로 일차함수가 아니다.

② $xy=3$, 즉 $y=\dfrac{3}{x}$이므로 일차함수가 아니다.

③ $xy=200$, 즉 $y=\dfrac{200}{x}$이므로 일차함수가 아니다.

④ $y=10-x$이므로 일차함수이다.

⑤ $xy=10$, 즉 $y=\dfrac{10}{x}$이므로 일차함수가 아니다.

2 ① $f(0)=3\times 0-5=-5$

② $f(-1)=3\times(-1)-5=-8$

③ $f\left(\dfrac{5}{3}\right)=3\times\dfrac{5}{3}-5=0$

④ $f(-0.5)=3\times(-0.5)-5=-6.5$

⑤ $f(3)=3\times 3-5=4$

3 일차함수 $y=2x+3$의 그래프가 점 $(k,\,1)$을 지나므로

$1=2k+3,\ 2k=-2$

$\therefore k=-1$

4 $y=3x+4$의 그래프를 y축의 방향으로 q만큼 평행이동한 그래프의 식은 $y=3x+4+q$이므로

$4+q=-9\ \ \therefore q=-13$

5 $y=\dfrac{1}{2}x$의 그래프를 y축의 방향으로 -3만큼 평행이동한 일차함수의 식은

$y=\dfrac{1}{2}x-3$

이 식에 $(k,\,1)$을 대입하면

$1=\dfrac{1}{2}\times k-3\ \ \therefore k=8$

6 일차함수 $y=2x+m$의 그래프를 y축의 방향으로 $-n$만큼 평행이동한 그래프의 식은

$y=2x+m-n$

이 함수의 그래프가 점 $(7,\,2)$를 지나므로

$2=2\times 7+m-n$

$\therefore m-n=-12$

7 $y=ax-4$의 x절편이 8이므로

$x=8,\ y=0$을 대입하면

$0=8a-4,\ 8a=4$

$\therefore a=\dfrac{1}{2}$

8 $y=-3x-6$에 $y=0$을 대입하면

$0=-3x-6\ \ \therefore x=-2$

따라서 $y=-3x-6$의 그래프의 x절편이 -2이므로

$y=2x-b$의 그래프의 x절편도 -2이어야 한다.

$y=2x-b$에 $x=-2,\ y=0$을 대입하면

$0=2\times(-2)-b$

$\therefore b=-4$

9 $y=8x-2$의 그래프와 x축 위에서 만나는 그래프이므로 x절편이 같은 일차함수를 찾는다.

이때 $y=8x-2$의 그래프의 x절편이 $\dfrac{1}{4}$이다.

① $y=4x-1$의 x절편은 $\dfrac{1}{4}$이다.

10 $y=-5x+20$에서 x절편은 $y=0$을 대입하면

$0=-5x+20\ \ \therefore x=4$

y절편은 $x=0$을 대입하면

$y=-5\times 0+20\ \ \therefore y=20$

오른쪽 그림에서

$\triangle AOB=\dfrac{1}{2}\times 4\times 20=40$

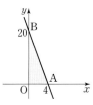

11 기울기가 $\dfrac{2}{3}$인 그래프에서 x의 값이 -2에서 4까지, 즉 6만큼 증가할 때, y의 값의 증가량을 a라고 하면

$\dfrac{2}{3}=\dfrac{a}{6}$에서 $a=4$

따라서 y의 값의 증가량은 4이다.

12 $(기울기)=\dfrac{(y의\ 값의\ 증가량)}{(x의\ 값의\ 증가량)}$

$(기울기)=\dfrac{7-k}{2-(-1)}=2$

$7-k=6\ \ \therefore k=1$

13 두 점 $(-1,\,-2),\ (-4,\,4)$를 지나는 직선의 기울기는

$(기울기)=\dfrac{4-(-2)}{-4-(-1)}=-\dfrac{6}{3}=-2$

$y=-2x+b$에 점 $(-1,\,-2)$를 대입하면

$-2=2+b\ \ \therefore b=-4$

$\therefore y=-2x-4$

$y=-2x-4$에 $(-3,\,a)$를 대입하면

$a=-2\times(-3)-4=6-4=2$

14 그래프가 오른쪽 아래로 향하므로 기울기는 음수이다.

$\therefore a<0$

또한, 그래프와 y축이 양의 부분에서 만나므로 y절편의 값은 양수이다.

$\therefore b>0$

15 ① y절편은 0이므로 이 그래프는 원점을 지난다.

기울기가 $\dfrac{1}{2}>0$이므로 오른쪽 위로 향하는 그래프이다.

따라서 제 1, 3사분면을 지난다.

② y절편은 1이므로 y축에 $y=1$인 점 $(0, 1)$을 지난다.

기울기가 $1>0$이므로 오른쪽 위로 향하는 그래프이다.

따라서 제 1, 2, 3사분면을 지난다.

③ y절편은 -3이므로 y축에 $y=-3$인 점 $(0, -3)$을 지난다.

기울기가 $-\dfrac{1}{2}<0$이므로 오른쪽 아래로 향하는 그래프이다.

따라서 제 2, 3, 4사분면을 지난다.

④ y절편은 -3이므로 y축에 $y=-3$인 점 $(0, -3)$을 지난다.

기울기가 $\dfrac{3}{2}>0$이므로 오른쪽 위로 향하는 그래프이다.

따라서 제 1, 3, 4사분면을 지난다.

⑤ y절편은 1이므로 y축에 $y=1$인 점 $(0, 1)$을 지난다.

기울기가 $-\dfrac{1}{2}<0$이므로 오른쪽 아래로 향하는 그래프이다.

따라서 제 1, 2, 4사분면을 지난다.

16 두 직선이 평행하려면 두 직선의 기울기가 같아야 하므로
$k=4$

13 일차함수의 그래프의 식과 활용
본문 pp. 114~127

기본 체크

01 (1) -8 (2) 15 (3) -4

02 (1) 3 (2) $-\dfrac{3}{4}$ (3) $-\dfrac{1}{2}$

대표 예제

1 x의 값이 2만큼 증가할 때 y의 값이 $\boxed{3}$만큼 감소하므로

$(기울기)=\dfrac{\boxed{-3}}{2}=\boxed{-\dfrac{3}{2}}$이다.

한편 y절편은 $\boxed{-3}$이므로 구하는 일차함수의 식은

$y=\boxed{-\dfrac{3}{2}x-3}$이다.

2 구하는 일차함수의 식을 $y=ax+b$라고 하면
이 직선은 기울기가 3이므로 $y=\boxed{3}x+b$이다.

또 이 그래프가 점 $(2, 5)$를 지나므로
$x=2$, $y=5$를 $y=\boxed{3}x+b$에 대입하면

$5=\boxed{3}\times2+b$, 즉 $b=\boxed{-1}$

따라서 구하는 일차함수의 식은 $y=\boxed{3x-1}$

3 구하는 일차함수의 식을 $y=ax+b$라고 하면
이 직선은 두 점 $(-1, 1)$, $(1, 5)$를 지나므로

$(기울기)=\dfrac{\boxed{5-1}}{\boxed{1-(-1)}}$

$=\dfrac{\boxed{4}}{\boxed{2}}=\boxed{2}$

즉, $y=2x+b$이다.

또 이 그래프가 점 $(-1, 1)$을 지나므로
$x=-1$, $y=1$을 $y=2x+b$에 대입하면

$1=2\times(-1)+b$, 즉 $b=\boxed{3}$

따라서 구하는 일차함수의 식은 $y=\boxed{2x+3}$

4 기온이 $x\,℃$일 때 소리의 속력을 $y\,\text{m/초}$라고 하면
섭씨 $15\,℃$일 때 $340\,\text{m/초}$가 되므로

$y=\boxed{340}+\boxed{0.6}(x-15)$, 즉 $y=0.6x+\boxed{331}$

기온이 $10\,℃$이므로 $\boxed{x}=10$을

$y=0.6x+\boxed{331}$에 대입하면

$\boxed{y}=0.6\times\boxed{10}+331$

$=\boxed{337}\,(\text{m/초})$

어떤 교과서에나 나오는 문제
출제율 100% 기본기 쌓기

01 $y=\dfrac{3}{2}x-5$ 02 $y=3x-2$

03 $y=x+4$ 04 ②   05 1   06 ④

07 ③   08 ①

1 기울기가 $\dfrac{3}{2}$이므로 $y=\dfrac{3}{2}x+b$

y절편이 -5이므로 $b=-5$

따라서 구하는 일차함수의 식은 $y=\dfrac{3}{2}x-5$

2 기울기가 3이므로 $y=3x+b$
이 식에 $x=2$, $y=4$를 대입하면
$4=3\times2+b$ $\therefore b=-2$
따라서 구하는 일차함수의 식은 $y=3x-2$

3 $(기울기)=\dfrac{6-2}{2-(-2)}=1$이므로 $y=x+b$

이 식에 $x=-2$, $y=2$를 대입하면 $b=4$

$\therefore y=x+4$

4 ① x절편 : 2, y절편 : 1

② x절편 : -2, y절편 : 1

③ x절편 : $\dfrac{2}{3}$, y절편 : 1

④ x절편 : $-\dfrac{2}{3}$, y절편 : 1

⑤ x절편 : $-\dfrac{1}{2}$, y절편 : 1

5 y절편이 -2인 직선을 그래프로 하는 일차함수의 식을
$y=ax+b$라고 하면 $b=-2$이므로 $y=ax-2$이다.
이 그래프가 점 $(2, 2)$를 지나므로
$2=a\times2-2$ ∴ $a=2$
따라서 이 직선을 그래프로 하는 일차함수의 식은 $y=2x-2$이
므로 이 식에 $y=0$을 대입하면
$0=2x-2$ ∴ $x=1$
따라서 x절편은 1이다.

6 x의 값이 1씩 증가할 때, y의 값은 0.5씩 감소하므로 구하는 관
계식을 $y=ax+b$라 하면
$a=\dfrac{-0.5}{1}=-0.5$
또, $x=0$일 때 $y=30$이므로 $b=30$
따라서 구하는 관계식은
$y=-0.5x+30\,(0\le x\le60)$

7 가로의 길이가 $(6+x)$ cm, 세로의 길이가 5 cm이므로 직사
각형의 넓이 y cm²는 $y=(6+x)\times5$
∴ $y=5x+30$

8 (기울기)$=\dfrac{-9}{3}=-3$이고 (y절편)$=150$이므로
$y=-3x+150$
이 식에 $y=60$을 대입하면
$60=-3x+150$ ∴ $x=30$
따라서 물 60 L가 물통에 남아 있을 때는 30분 후이다.

시험에 꼭 나오는 문제 기출 베스트 컬렉션

01 ②	02 ①	03 ③	04 ①	05 ⑤
06 ①	07 ①	08 ⑤	09 ⑤	10 ③
11 ⑤	12 ②	13 ④	14 $y=12x\,(0\le x\le5)$	
15 ③	16 **10분 후**			
17 $y=\dfrac{2}{5}x$		18 **5 cm**	19 **9**	20 **27**
21 $y=\dfrac{1}{2}x$		22 **15초**	23 **3시간**	24 **12 L**

1 기울기가 $\dfrac{3}{5}$이고, y절편이 -1인 직선은 일차함수

$y=\dfrac{3}{5}x-1$의 그래프이다.
이 그래프가 점 $(p, -2)$를 지나므로
$-2=\dfrac{3}{5}\times p-1$ ∴ $p=-\dfrac{5}{3}$

2 일차함수 $y=ax+b$의 그래프는 점 $(0, 3)$을 지나므로 $b=3$
이다.
(기울기)$=a=\dfrac{-8}{2}=-4$
∴ $a+b=-4+3=-1$

3 y절편이 -3인 직선을 그래프로 하는 일차함수의 식을
$y=ax+b$라고 하면 $b=-3$이므로
$y=ax-3$
이 그래프가 점 $(2, 1)$을 지나므로
$1=a\times2-3$ ∴ $a=2$
이 직선을 그래프로 하는 일차함수의 식은 $y=2x-3$이므로
이 식에 $y=0$을 대입하면
$0=2x-3$ ∴ $x=\dfrac{3}{2}$
따라서 x절편은 $\dfrac{3}{2}$이다.

4 두 점 $(1, -1)$, $(-2, 5)$를 지나는 직선의 기울기는
$\dfrac{5-(-1)}{-2-1}=-2$
구하는 함수의 식을 $y=-2x+b$라 하면
x절편이 $\dfrac{1}{2}$이므로 $\left(\dfrac{1}{2}, 0\right)$을 대입하면 $b=1$
따라서 구하는 일차함수의 식은 $y=-2x+1$

5 두 점 $(2, 3)$, $(-2, 0)$을 지나는 직선의 기울기는
$\dfrac{3-0}{2-(-2)}=\dfrac{3}{4}$
이때 점 $(3a+1, 3a)$도 이 직선 위에 있으므로 기울기가 같다.
즉, $\dfrac{3-3a}{2-(3a+1)}=\dfrac{3}{4}$에서
$4(3-3a)=3(-3a+1)$
∴ $a=3$

6 일차함수 $y=2x-5$의 그래프와 평행하므로 구하는 일차함수
의 식은 $y=2x+b$
이 직선이 점 $(-3, 1)$을 지나므로
$y=2x+b$에 $x=-3$, $y=1$을 대입하면
$1=2\times(-3)+b$ ∴ $b=7$
$y=2x+7$에 $x=1$, $y=k$를 대입하면
$k=2\times1+7=9$
∴ $b+k=7+9=16$

7 $y=ax+b$의 그래프는 두 점 $(-1, 4)$, $(2, -5)$를 지나므로

$$a = \frac{-5-4}{2-(-1)} = -3$$

$y = -3x + b$에 $x = -1$, $y = 4$를 대입하면 $b = 1$

$y = -3x + 1$에 $x = k$, $y = k+3$을 대입하면

$$k+3 = -3k+1 \quad \therefore k = -\frac{1}{2}$$

$$\therefore b+k = 1 + \left(-\frac{1}{2}\right) = \frac{1}{2}$$

8 일차함수 $y = ax + b$의 x절편이 3, y절편이 -6이면
두 점 $(3, 0)$, $(0, -6)$을 지나므로
$$0 = 3a + b, \quad -6 = b$$
$$\therefore a = 2, \quad b = -6$$
$$\therefore y = 2x - 6$$

9 직선이 평행하기 위한 조건은 기울기의 값이 같은 경우이다.
각 경우 기울기를 구해 보면
① (기울기) $= 2$
② (기울기) $= \dfrac{0-4}{-2-0} = 2$
③ (기울기) $= \dfrac{3-9}{1-4} = 2$
④ y절편이 3인 직선은 점 $(0, 3)$을 지나므로
　(기울기) $= \dfrac{3-5}{0-1} = 2$
⑤ x절편이 1인 직선은 점 $(1, 0)$을 지나므로
　(기울기) $= \dfrac{0-8}{1-2} = 8$

10 그래프가 두 점 $(0, -1)$, $(2, 3)$을 지나므로
$$a = \frac{3-(-1)}{2-0} = 2$$
y절편은 -1이므로 $b = -1$
따라서 구하는 일차함수의 식은 $y = 2x - 1$
이 식에 $y = 0$을 대입하면 $x = \dfrac{1}{2}$

따라서 x절편은 $\dfrac{1}{2}$이다.

11 구하는 일차함수의 식을 $y = ax + b$라 하면
주어진 그래프와 평행하므로
$$a = \frac{0-(-2)}{2-0} = 1$$
$y = x + b$에 $(-1, 2)$를 대입하면
$2 = -1 + b \quad \therefore b = 3$
따라서 구하는 일차함수의 식은 $y = x + 3$

12 $y = -2x + 1$의 그래프와 y축에서 만나려면 점 $(0, 1)$을 지나야 한다.
즉, y절편이 같아야 한다.
따라서 $y = ax + 1$의 그래프가 점 $(3, 7)$을 지나므로
$7 = 3a + 1, \quad 3a = 6 \quad \therefore a = 2$
$$\therefore y = 2x + 1$$

13 $y = ax - 1$의 그래프가 점 $(0, -1)$을 지나므로

두 점 $(0, -1)$, $(1, 2)$를 지나는 직선의 기울기는
$$\frac{2-(-1)}{1-0} = 3$$
두 점 $(0, -1)$, $(2, 0)$을 지나는 직선의 기울기는
$$\frac{0-(-1)}{2-0} = \frac{1}{2}$$
$$\therefore \frac{1}{2} \leq a \leq 3$$
따라서 선분 AB와 만나는 a의 값은 2이다.

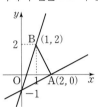

14 매초 3 cm 속력으로 움직이면 x초 후의
$\overline{AP}$의 길이는 $\overline{AP} = 3x$ (cm)이므로
$$\triangle APD = \frac{1}{2} \times 8 \times 3x = 12x$$
$$\therefore y = 12x \quad (0 \leq x \leq 5)$$

15 휘발유 5 L로 100 km를 달리면 1 km를 달릴 때는 0.05 L가
필요하고, x km를 달릴 때는 $0.05x$ L가 필요하다.
$$\therefore y = 60 - 0.05x \quad (0 \leq x \leq 1200)$$

16 x분 동안 준희가 이동한 거리는 $(0.2x + 1)$ km
x분 동안 예림이가 이동한 거리는 $0.3x$ km
$$\therefore y = (0.2x + 1) - 0.3x = -0.1x + 1$$
두 사람이 만나게 되는 것은 두 사람 사이의 거리가 0을 의미하므로 $y = 0$을 대입하면
$$0 = -0.1x + 1, \quad 0.1x = 1$$
$$\therefore x = 10(분)$$

17 A$(2, 2)$, B$(3, 0)$이므로 $\triangle OAB$의 넓이는 3이고, 원점을 지나면서 $\triangle OAB$의 넓이를 반으로 이등분하는 방정식은 원점을 지나므로 $y = ax$꼴로 나타낼 수 있다.
$y = -2x + 6$와 $y = ax$의 교점을 P라 하면 $\left(\dfrac{6}{a+2}, \dfrac{6a}{a+2}\right)$이고,
$\triangle OPB = \dfrac{3}{2}$가 되어야 하므로
$$3 \times \left(\frac{6a}{a+2}\right) \times \frac{1}{2} = \frac{3}{2}, \quad a = \frac{2}{5}$$
$$\therefore y = \frac{2}{5}x$$

18 30 cm 양초가 6시간 후엔 0 cm가 되므로, 양초는 1시간에 5 cm씩 줄어든다. 주어진 문제를 식으로 세우면 $y = 30 - 5x$이고, $x = 5$를 대입하면 $y = 5$ (cm)이다.

19 두 직선의 교점을 A, $y = x + 2$의 x절편을 B, $y = -x + 4$의 x절편을 C라 하면
A$(1, 3)$, B$(-2, 0)$, C$(4, 0)$이므로
$$\triangle ABC = \frac{1}{2} \times 6 \times 3 = 9 \text{이다.}$$

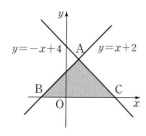

20 두 직선의 기울기가 서로 같으므로 각각 서로 평행한 것을 알 수 있으므로

$3x+2y-7=0$에서 $3(x-a)+2(y-b)-7=0$이고

$3x+2y-3a-2b-7=0 \cdots \bigcirc$

$2x-6y-5=0$에서 $2(x-a)-6(y-b)-5=0$이고

$2x-6y-2a+6b-5=0 \cdots \bigcirc$

$4x-y+3=0$에서 $4(x-a)-(y-b)+3=0$이고

$4x-y-4a+b+3=0 \cdots \bigcirc$

$\bigcirc$, $\bigcirc$, $\bigcirc$은 각각 $6x+4y-11=0$, $x-3y-13=0$,

$4x-y+c=0$와 같아야 하므로

서로 연립하여 계산하면 $a=\dfrac{3}{2}$, $b=-3$, $c=-6$

$\therefore \dfrac{3}{2} \times (-3) \times (-6) = 27$

21 $\triangle AOB = \dfrac{1}{2} \times 2 \times 1 = 1$이고, 직선 l이 $\triangle AOB$를 이등분하

므로 $\overline{AB}$의 중점 $\left(1, \dfrac{1}{2}\right)$를 지난다.

$\therefore y=\dfrac{1}{2}x$

22 엘리베이터가 매초 3 m씩 내려오므로 $y=60-3x$이고,

15 m 높이일 때의 x값을 구해야 하므로 $15=60-3x$가 된다.

$\therefore x=15$(초)

23 (거리)$=$(속력)$\times$(시간)이므로

$240=xy$에서 $y=\dfrac{240}{x}$이다.

시속 80 km의 속력으로 달리면

$y=\dfrac{240}{80}=3$이므로 3시간 걸린다.

24 30분 동안 45 km를 달렸으므로

속력은 시속 $45 \div 0.5 = 90$(km)이고

(거리)$=$(속력)$\times$(시간)이므로

$y=90x$

$x=2$일 때 $y=180$(km)이므로

$180 \div 15 = 12$이다.

따라서, 12 L를 사용하였다.

---

14 일차함수와 일차방정식의 관계 본문 pp. 124~131

기본 체크

01 (1) $y=-2x+4$ (2) $y=3x-3$

(3) $y=2x-\dfrac{1}{2}$ (4) $y=-\dfrac{1}{4}x+3$

02 $x=3$, $y=1$

대표 예제

1 (1) 일차방정식 $3x-y=1$을 변형하여 y를

x의 식으로 나타내면 $y=\boxed{3x-1}$과 같

다.

(2) 일차함수 $y=3x-1$의 그래프는 기울

기가 $\boxed{3}$, y절편이 $\boxed{-1}$이므로 오른쪽

그림과 같이 그려진다.

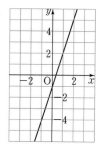

2 직선 ①이 $\boxed{y}$축에 평행하고 직선 위의 모든 점의 x좌표가 $\boxed{-2}$

이므로 구하는 방정식은 $\boxed{x=-2}$이다.

직선 ②가 $\boxed{x}$축에 평행하고 직선 위의 모든 점의 y좌표가

$\boxed{\dfrac{1}{2}}$이므로 구하는 방정식은 $\boxed{y=\dfrac{1}{2}}$이다.

3 연립방정식에서 각각 y를 x의 식으로 나타내면

$\begin{cases} y=\boxed{-x+1} \\ y=\boxed{-2x+2} \end{cases}$

이고 두 일차함수의 그래프는 각각 오

른쪽 그림과 같다.

이때 두 직선의 교점의 좌표는

$(\boxed{1}, \boxed{0})$이므로

연립방정식의 해는 $x=\boxed{1}$, $y=\boxed{0}$

이다.

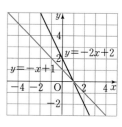

4 (1) 연립방정식에서 각각 y를 x의 식으로 나타내면

$\begin{cases} y=\boxed{-x+1} \\ y=\boxed{-x+1} \end{cases}$

이고 오른쪽 그림과

같이 두 직선은 $\boxed{일치}$한다.

따라서 두 직선은 무수히 많은 점

에서 만나므로 연립방정식의 해는

$\boxed{무수히 많다.}$

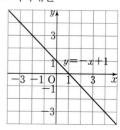

(2) 연립방정식에서 각각 y를 x의
식으로 나타내면

$$\begin{cases} y = \dfrac{3}{2}x + \dfrac{1}{2} \\ y = \dfrac{3}{2}x - 1 \end{cases}$$

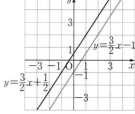

이고 그림과 같이 서로 평행한 두 직선이다.
따라서 이 두 직선은 서로 만나지 않으므로 연립방정식의 해는
없다.

어떤 교과서에나 나오는 문제
출제율 100% 기본기 쌓기

01 ④	02 (1) ⓜ	(2) ⓒ, ⓔ	03 ④
04 $x=2, y=-2$		05 ③	06 -6
07 $y=\dfrac{1}{3}x-6$		08 $a=3, b=-3$	

1 $3x-2y-4=0$을 y에 대하여 풀면

$2y=3x-4$ ∴ $y=\dfrac{3}{2}x-2$

2 (1) x축에 평행한 직선은 $y=q(q$는 상수)의 꼴이므로 ⓜ이다.
(2) y축에 평행한 직선은 $x=p(p$는 상수)
의 꼴이므로 ⓒ, ⓔ이다.

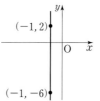

3 두 점 $(-1, 2)$, $(-1, -6)$을
지나는 직선은 그림과 같고,
이 직선의 방정식은
$x=-1$

4 주어진 그림에서 두 직선의 교점의 좌표가 $(2, -2)$이므로
연립방정식의 해는
$x=2, y=-2$

5 점 $(2, -1)$이 두 직선의 교점이므로 두 식에 대입하면
$2a-(-1)=3$ ∴ $a=1$
$2+b \times (-1)=4$ ∴ $b=-2$
∴ $a-b=1-(-2)=3$

6 $2x-y=3$에서 $y=2x-3$
$ax+3y=-12$에서 $y=-\dfrac{a}{3}x-4$
두 그래프가 서로 평행하므로 $-\dfrac{a}{3}=2$
∴ $a=-6$

7 $x-3y-5=0$을 y에 관하여 풀면 $y=\dfrac{1}{3}x-\dfrac{5}{3}$
$y=\dfrac{1}{3}x-\dfrac{5}{3}$와 평행하므로 기울기는 $\dfrac{1}{3}$

$y=\dfrac{1}{3}x+b$에 $(0, -6)$을 대입하면
$b=-6$
따라서 구하는 직선의 방정식은
$y=\dfrac{1}{3}x-6$이다.

8 $y=ax-3$과 $y=3x+b$의 교점이 무수히 많을 때는 두 직선이
일치할 때이다.
∴ $a=3, b=-3$

시험에 꼭 나오는 문제
기출 베스트 컬렉션

01 ③	02 ①	03 ③	04 ①	05 ④
06 ⑤	07 13	08 ①	09 ④	10 ①
11 ⑤	12 ③	13 ②	14 ④	15 ①
16 $\dfrac{25}{12}$				

1 ③ y축과의 교점은 $x=0$일 때이므로
$3y-6=0, y=2$
∴ $(0, 2)$

2 $ax+2y-12=0$을 y에 관하여 풀면
$2y=-ax+12$ ∴ $y=-\dfrac{a}{2}x+6$
이때 기울기가 $\dfrac{3}{2}$이므로
$-\dfrac{a}{2}=\dfrac{3}{2}$ ∴ $a=-3$

3 $-\dfrac{3}{4}x+\dfrac{1}{2}y-6=0$에서
x절편 : $-\dfrac{3}{4}x-6=0$ ∴ $x=-8$
y절편 : $\dfrac{1}{2}y-6=0$ ∴ $y=12$
∴ (x절편)+(y절편)$=-8+12=4$

4 $2x-y=3$에서 $y=2x-3$
$ax+3y=-12$에서 $y=-\dfrac{a}{3}x-4$
두 그래프가 서로 평행하므로
$-\dfrac{a}{3}=2$ ∴ $a=-6$

5 y축에 수직인 직선은 x축에 평행한 직선이므로
직선의 방정식은 $y=a$
이 직선이 점 $(-3, 2)$를 지나므로 $y=2$

6 y축에 평행하고 점 $(1, 0)$을 지나므로 직선의 방정식은 $x=1$
주어진 그래프가 y축에 평행한 직선의 방정식이므로 $b=0$

$$\therefore x=-\frac{3}{a}$$

$x=1$과 $x=-\dfrac{3}{a}$이 일치해야 하므로

$$-\frac{3}{a}=1 \quad \therefore a=-3$$

$$\therefore a-b=-3-0=-3$$

7 $2x=0$에서 $x=0$

$-3y=9$에서 $y=-3$

$5-2x=3$에서 $x=1$

$\dfrac{2}{5}y-4=0$에서 $y=10$

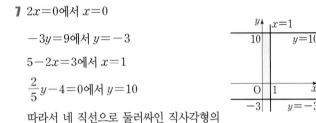

따라서 네 직선으로 둘러싸인 직사각형의

넓이는 $1 \times 13 = 13$

8 y축에 수직인 직선은 x축에 평행하므로 구하는 직선을 나타내는

방정식은 $y=q$의 꼴이다.

$2a-3=5a+6$에서 $-3a=9$

$$\therefore a=-3$$

9 연립방정식의 해가 $(3, 0)$이므로

$x=3$, $y=0$을 두 식에 각각 대입하면

$3a+0=6 \quad \therefore a=2$

$12-0=b \quad \therefore b=12$

$$\therefore a+b=14$$

10 두 식에 $x=1$을 대입하면

$1-y+2=0 \quad \therefore y=3$

$3=a+4 \quad \therefore a=-1$

11 $\begin{cases} y=1-3x \\ y=x+3 \end{cases}$을 연립하여 교점의 좌표를 구하면

$1-3x=x+3$에서 $x=-\dfrac{1}{2}$

$y=-\dfrac{1}{2}+3=\dfrac{5}{2}$

즉, 교점의 좌표는 $\left(-\dfrac{1}{2}, \dfrac{5}{2}\right)$

따라서 점 $\left(-\dfrac{1}{2}, \dfrac{5}{2}\right)$를 지나고 y축에 수직인 직선의 방정식은

$y=\dfrac{5}{2}$

12 해가 없으면 두 직선이 평행해야 하므로 $y=\dfrac{2}{3}x+\dfrac{1}{3}$과

$y=\dfrac{1}{a}x+2$의 그래프의 기울기는 서로 같다.

$$\therefore a=\frac{3}{2}$$

13 연립방정식의 해가 없을 때는 두 직선이 평행할 때이다.

즉, 기울기가 같고 y절편이 서로 다르다.

따라서 $\dfrac{2}{4}=\dfrac{3}{6}\neq\dfrac{1}{a}$이므로 $a\neq2$

14 $\begin{cases} ax-3y=1 \\ 4x-by=2 \end{cases}$ ➡ $\begin{cases} y=\dfrac{a}{3}x-\dfrac{1}{3} \\ y=\dfrac{4}{b}x-\dfrac{2}{b} \ (b\neq0) \end{cases}$

이때 $\dfrac{a}{3}=\dfrac{4}{b}$, $-\dfrac{1}{3}=-\dfrac{2}{b}$이어야 하므로

$a=2$, $b=6$

$$\therefore a+b=8$$

15 연립방정식 $\begin{cases} x-3y=9 \\ 2x+y=4 \end{cases}$를 풀면 $x=3$, $y=-2$

$-ax+y=7$의 그래프가 점 $(3, -2)$를 지나므로

$x=3$, $y=-2$를 $-ax+y=7$에 대입하면

$-3a-2=7$, $-3a=9$

$$\therefore a=-3$$

16 해가 무수히 많으므로 두 직선은 일치한다.

$\dfrac{5}{a}=\dfrac{-2}{b}=3$에서 $a=\dfrac{5}{3}$, $b=-\dfrac{2}{3}$

이때 일차함수 $y=-\dfrac{2}{3}x-\dfrac{5}{3}$의 그래프의 y절편은 $-\dfrac{5}{3}$이고

x절편은 $-\dfrac{5}{2}$이다.

따라서 구하는 삼각형의 넓이는

$$\frac{1}{2}\times\frac{5}{3}\times\frac{5}{2}=\frac{25}{12}$$

단원종합문제   본문 pp.136~141

01 ②, ⑤	02 -8	03 ④	04 ②	05 2
06 ⑤	07 ④	08 $\dfrac{24}{5}$	09 -4	10 5
11 $\dfrac{3}{2}$	12 32	13 1	14 ②	15 ④
16 ③	17 ②	18 ②	19 ②	20 ③
21 ①	22 ③	23 1	24 ①	25 ④
26 -2	27 72**분 후**	28 7	29 $-\dfrac{10}{3}$	30 $\dfrac{3}{2}$

1 ① $xy=300$, 즉 $y=\dfrac{300}{x}$이므로 일차함수가 아니다.

    ② $y=3x+200$이므로 일차함수이다.

    ③ $y=\pi x^2$이므로 일차함수가 아니다.

④ $xy=200$, 즉 $y=\dfrac{200}{x}$이므로 일차함수가 아니다.

⑤ $y=10x$이므로 일차함수이다.

2 $f(x)=ax+5$에서 $f(1)=-3$이므로

$a\times1+5=-3$, $a+5=-3$

$\therefore a=-8$

3 (남아 있는 물의 양)$=600-$(퍼낸 물의 양)이므로

$y=600-5x$

$\therefore y=-5x+600$

4 일차함수 $y=4x+k$에 $x=2$, $y=5$를 대입하면

$5=4\times2+k$ $\quad\therefore k=-3$

5 $x=a$, $y=a-3$을 $3x-y=7$에 대입하면

$3a-(a-3)=7$, $2a=4$

$\therefore a=2$

6 ⑤ x절편을 구하기 위하여 일차함수 $y=3x+1$에

$y=0$을 대입하면 $0=3x+1$

$\therefore$ (x절편)$=-\dfrac{1}{3}$

7 구하는 일차함수의 식을 $y=ax+b$라 하면

$y=-\dfrac{1}{2}x+1$의 그래프와 평행하므로 $a=-\dfrac{1}{2}$

$y=-\dfrac{1}{2}x+b$에 $(2,2)$를 대입하면

$2=-1+b$ $\quad\therefore b=3$

따라서 구하는 일차함수의 식은 $y=-\dfrac{1}{2}x+3$

8 $f(a)=-\dfrac{4}{5}a+2$, $f(b)=-\dfrac{4}{5}b+2$이므로

$f(a)+(b)=\left(-\dfrac{4}{5}a+2\right)+\left(-\dfrac{4}{5}b+2\right)=-\dfrac{4}{5}(a+b)+4$에서

$a+b=-1$이므로

$=-\dfrac{4}{5}(-1)+4=\dfrac{4}{5}+4=\dfrac{24}{5}$

9 $y=-x+a$의 그래프의 x절편이 a이므로 P$(a,0)$

$y=\dfrac{1}{2}x-3$의 그래프의 x절편이 6이므로 Q$(6,0)$

이때, $\overline{PQ}=10$이므로 a의 값은 16과 -4가 된다.

음수 a값을 구해야 하므로 a는 -4이다.

10 $f(2)=2a+b=-4$이고, $\dfrac{f(s)-f(r)}{s-r}$은 기울기가 되므로

$a=-3$이다. $\quad\therefore b=2$

$\therefore f(-1)=-3(-1)+2=5$

11 $-a=3a-4$에서 $a=1$이고, y축으로 1만큼 평행이동했으므로

$y=3x-4+1$, $y=3x-3$이다.

이때, 그래프가 점 (p,p)를 지나므로 $p=3p-3$

$\therefore p=\dfrac{3}{2}$

12 $y=-\dfrac{1}{2}x+6$의 x절편은 12, y절편은 6

$y=-\dfrac{1}{2}x+2$의 x절편은 4, y절편은 2

따라서 둘러싸인 도형의 넓이는

$\dfrac{1}{2}\times12\times6-\dfrac{1}{2}\times4\times2=36-4=32$

13 $3a+2-8=0$이므로 $a=2$

즉, $2x-2y-8=0$에서 $y=x-4$ $\quad\therefore$ 기울기$=1$

14 두 점 $(-2,-k-2)$, $(-1,-1)$을 지나는 직선을 l이라고 하면

(직선 l의 기울기)$=\dfrac{-1-(-k-2)}{-1-(-2)}$

두 점 $(-1,-1)$, $(1,k+3)$을 지나는 직선을 m이라고 하면

(직선 m의 기울기)$=\dfrac{k+3-(-1)}{1-(-1)}$

세 점이 한 직선 위에 있으므로 직선 l과 직선 m의 기울기가 같으므로

$\dfrac{-1-(-k-2)}{-1-(-2)}=\dfrac{k+3-(-1)}{1-(-1)}$

$\dfrac{k+1}{1}=\dfrac{k+4}{2}$, $2(k+1)=k+4$

$\therefore k=2$

15 $y=-3x+5$의 그래프와 y축에서 만나므로 y절편이 같다.

따라서 구하는 일차함수의 식은 기울기가 $\dfrac{2}{3}$이고 y절편이 5이므로

$y=\dfrac{2}{3}x+5$

16 $y=ax-b$에서 $a>0$, $b>0$이므로 $y=-ax-b$의 그래프는

기울기 $-a<0$, y절편 $-b<0$인 그래프 ③이다.

17 두 점 $(1,-1)$, $(-1,3)$을 지나는 그래프의 기울기는

(기울기)$=\dfrac{3-(-1)}{-1-1}=-2$

따라서 일차함수의 식은 $y=-2x+b$

이 식에 $x=1$, $y=-1$을 대입하면

$-1=-2\times1+b$ $\quad\therefore b=1$

따라서 일차함수의 식은 $y=-2x+1$

18 두 점 $(-1,3)$, $(2,9)$를 지나는 직선의 기울기는

(기울기)$=\dfrac{9-3}{2-(-1)}=\dfrac{6}{3}=2$

일차함수 $y=ax+1$의 그래프의 기울기가 2이므로 $a=2$

$y=2x+1$에 $(-2,b)$를 대입하면

$b=2\times(-2)+1=-3$

$\therefore a+b=2+(-3)=-1$

19 두 그래프의 교점이 두 방정식의 해이므로

$x=-1$, $y=3$을 주어진 방정식에 대입하면

$-a+3=1$ $\therefore a=2$

$-b+3a=8$, $-b+6=8$ $\therefore b=-2$

$\therefore a-b=2-(-2)=4$

20 $y=ax+8$의 그래프의 x절편이 2이므로

점 $(2, 0)$을 대입하면 $0=2a+8$

$\therefore a=-4$

$y=-4x+8$에 $(k, -4)$를 대입하면

$-4=-4k+8$ $\therefore k=3$

$\therefore a+k=-4+3=-1$

21 (i) 직선 $-2x+k$가 점 A를 지날 때, $-1=-4+k$

$\therefore k=3 \cdots$ ①

(ii) 직선 $y=-2x+k$가 점 A를 지날 때, $-4=-\dfrac{1}{2}+k$

$\therefore k=-\dfrac{7}{2} \cdots$ ②

①, ②에서 $-\dfrac{7}{2} \leq k \leq 3$

22 먼저 두 방정식 $4x+y=-1$, $3x-2x-2y=-9$의 그래프의 교점의 좌표를 구해 보면

$y=-1-4x$를 $3x-2y=-9$에 대입하면

$3x-2(-1-4x)=-9$

$11x=-11$ $\therefore x=-1$

$x=-1$을 $y=-1-4x$에 대입하면

$y=-1+4=3$

$\therefore x=-1$, $y=3$

따라서 점 $(-1, 3)$을 지나고 y축에 평행한 직선의 식은 $x=-1$이다.

23 두 일차함수의 그래프가 평행하므로 $a=\dfrac{1}{4}$

$P(-4, 0)$이므로 $Q(-9, 0)$ 또는 $Q(1, 0)$가 된다.

$\therefore b=-9$ 또는 1

여기서 $b>0$이므로 $\therefore b=1$

24 세 직선은 어느 것도 서로 평행하지 않으므로 세 직선이 한 점에서 만나면 삼각형이 만들어지지 않는다.

$x-2y+1=0$과 $2x+y-3=0$의 교점의 좌표를 구하면 $(1, 1)$이고, 이것을 $4x-y+a=0$에 대입하면

$4-1+a=0$ $\therefore a=-3$

25 그래프에서 $x=0$일 때 $y=18$, $x=5$일 때 $y=15$이므로

(기울기)$=-\dfrac{3}{5}$, (y절편)$=18$

$\therefore y=-\dfrac{3}{5}x+18$

이 식에 $y=0$을 대입하면

$0=-\dfrac{3}{5}x+18$ $\therefore x=30$

따라서 30시간 동안 불을 피워 사용하면 난로의 석유가 없게 되므로 $30 \div 6 = 5$(일) 동안 난로를 사용할 수 있다.

26 $y=-\dfrac{1}{2}x+2$에 $y=0$을 대입하면

$0=-\dfrac{1}{2}x+2$ $\therefore x=4$

$\therefore a=4$, $b=0$

또, $y=-\dfrac{1}{2}x+2$의 그래프가 점 $(c, 5)$를 지나므로

$5=-\dfrac{1}{2}c+2$ $\therefore c=-6$

$\therefore a+b+c=4+0+(-6)=-2$

27 불을 붙인지 x분 후의 초의 길이를 y cm라 하면

$y=ax+b$에서 $a=-\dfrac{1}{4}$

$x=0$일 때 $y=30$이므로 $b=30$

$\therefore y=-\dfrac{1}{4}x+30$

이 식에 $y=12$를 대입하면

$12=-\dfrac{1}{4}x+30$ $\therefore x=72$(분)

따라서 초의 길이가 12 cm가 되는 것은 불을 붙인지 72분 후이다.

28 x축과 수직인 직선은 $x=k$의 꼴이므로의 x의 값이 일정하다.

따라서 $4a-1=3a+6$에서 $a=7$

29 주어진 그래프의 기울기는 $-\dfrac{7}{3}$이다.

$mx+x-y=1$에서 $y=(m+1)x-1$

두 그래프가 평행이므로

$m+1=-\dfrac{7}{3}$ $\therefore m=-\dfrac{10}{3}$

30 주어진 세 방정식을 각각 y에 관하여 풀면

$y=0$, $y=x+2$, $y=-\dfrac{1}{2}x+\dfrac{1}{2}$

세 일차함수의 그래프를 그리면 다음 그림과 같다.

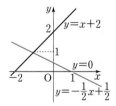

따라서 구하는 삼각형의 넓이는

$\dfrac{1}{2} \times 3 \times 1 = \dfrac{3}{2}$

교과서
노트

중학 수학 **2** (상)

번호	o/x
14	
15	
16	

08 연립일차방정식

번호	o/x
1	
2	
3	
4	
5	
6	
7	
8	
1	
2	
3	
4	
5	
6	
7	
8	
9	
10	
11	
12	
13	
14	
15	
16	

어떤 교과서에나 나오는 문제 / 시험에 꼭 나오는 문제

09 연립방정식의 풀이

번호	o/x
1	
2	
3	
4	
5	
6	
7	
8	
1	
2	
3	
4	
5	
6	
7	
8	
9	

번호	o/x
10	
11	
12	
13	
14	
15	
16	

시험에 꼭 나오는 문제

10 연립방정식의 활용

번호	o/x
1	
2	
3	
4	
5	
6	
7	
8	
1	
2	
3	
4	
5	
6	
7	
8	
9	
10	
11	
12	
13	
14	
15	
16	

11 함수의 뜻

번호	o/x
1	
2	
3	
4	
5	
6	
7	
8	
9	
1	
2	
3	
4	

번호	o/x
5	
6	
7	
8	
9	
10	
11	
12	
13	
14	
15	
16	
17	

꼭 나오는 문제

12 일차함수와 그 그래프

번호	o/x
1	
2	
3	
4	
5	
6	
7	
8	
1	
2	
3	
4	
5	
6	
7	
8	
9	
10	
11	
12	
13	
14	
15	
16	

13 일차함수의 그래프의 식과 활용

번호	o/x
1	
2	
3	
4	
5	
6	
7	

번호	o/x
8	
1	
2	
3	
4	
5	
6	
7	
8	
9	
10	
11	
12	
13	
14	
15	
16	
17	
18	
19	
20	
21	
22	
23	
24	

14 일차함수와 일차방정식의 관계

번호	o/x
1	
2	
3	
4	
5	
6	
7	
8	
1	
2	
3	
4	
5	
6	
7	
8	
9	
10	
11	
12	
13	
14	
15	
16	